L'Essentiel

Lectures et exercices

John Powell

Hodder & Stoughton
A MEMBER OF THE HODDER HEADLINE GROUP

For A. J. and M. R.

British Library Cataloguing in Publication Data
A catalogue record for this title is available from The British Library

ISBN 0 340 68823 8

First published 1997
Impression number   10 9 8 7 6 5 4 3 2 1
Year   2002 2001 2000 1999 1998 1997

Typeset by Wearset, Boldon, Tyne and Wear.
Printed in Great Britain for Hodder & Stoughton Educational, a division of Hodder Headline Plc, 338 Euston Road, London NW1 3BH by Redwood Books, Trowbridge, Wilts.

Contents

Foreword

This is primarily a book of language practice material combining the study of texts taken mainly from newspaper and magazine articles with grammar and structure exercises designed to help students to achieve a higher standard of written French.

The material is presented in French and the grammar notes and the exercises are supported by a large number of examples. At the end of the book there are a key to the grammar exercises (which are in the second part of each chapter) and questions in English on the various texts. A glossary of grammatical terms is provided to help students gain a fuller understanding of the grammar points covered.

Each chapter contains about three to four weeks' work, bearing in mind the students' other language-learning activities.

The first part of each chapter features texts that relate to topic areas listed in the A-level syllabuses and it is intended in the follow-up exercises not only to test comprehension but also to widen the students' range of vocabulary and structure patterns. The testing of comprehension is not confined to establishing the general sense of a passage; it is important for students, through the exercises, to study it in some detail and to be in a position to manipulate and reuse the various elements. The passages may well contain information and ideas of value in other contexts. A vocabulary giving immediate access to the more difficult words and phrases accompanies each text or group of extracts.

In the second part of each chapter attention is focused on basic grammar patterns and the construction of complex sentences. Without a good working knowledge of tenses, students would have difficulty in understanding advanced-level texts and their powers of expression would be severely limited; consequently, the earlier chapters are mainly devoted to tense formation and use. Verbs play a vital part in the writing of sentences, and students should make every effort to learn the irregular verbs, since they are constantly required. For consolidation purposes there are short passages for translation from and into French towards the end of each chapter.

The first ten chapters end with questions offering students the opportunity to express their views, briefly and in French, on some aspect of the topic under consideration.

In later chapters I have listed those linking words (conjunctions, adverbial phrases and prepositions) that the French writer normally uses when contrasting, comparing, supplying additional information or details, or explaining causes, reasons, conditions and consequences. In a way these lists (and the relevant exercises) group together elements found in texts and exercises throughout the book and students may find them useful for reference.

In conclusion, I should like to express my sincere thanks to Alba Williams who kindly read through the manuscript at its various stages and greatly assisted me with her observations.

J.P.
February, 1997

Chapitre **1**
En vacances

■■ Première partie

1 Lisez attentivement le texte et faites les exercices qui le suivent.

C'est la musique qui ouvre les portes [1]

J'ai vécu au Canada et aux États-Unis avec mes enfants. 1

Au cours d'un été nous campions au bord d'un lac canadien. La nuit
était tombée. Nous avions dîné.

Nous étions neuf en tout: six adolescents, Jean-Pierre [le mari de
l'auteur], moi et Dorothée, qui n'avait que douze ans. J'avais sommeil. 5
Je les ai laissés autour du feu et je suis allée dans la tente. Pendant que
je me préparais à me coucher j'ai entendu un bruit formidable. Je suis
sortie et j'ai vu un spectacle incroyable: trois puissantes motocyclettes
descendaient la pente raide de la dune de sable derrière notre
campement. 10

La panique m'a prise. Je croyais que c'était la police qui venait faire
éteindre notre feu, ou Dieu sait quoi. Les motos se sont arrêtées à
dix mètres de nous. Ce n'était pas la police, mais trois très jeunes
hommes, dans les 22 ans, habillés de cuir noir, avec de gros dessins
colorés sur leurs blousons. Les machines étaient magnifiques, les 15
flammes faisaient briller leurs chromes, les garçons étaient effrayants,
dangereux, les yeux froids. Je m'attendais au pire.

Les enfants sentant le danger, leurs pensées probablement pleines
des récits quotidiens de la violence américaine, s'étaient levés.

Ils restaient immobiles. Jean-Pierre avait fait un pas vers les jeunes 20
hommes. 'Hello, good evening.' Pas de réponse.

[à suivre]

Vocabulaire

s'attendre à *to expect*

briller *to shine*

le bruit *noise; sound*

le cuir *leather*

effrayer *to frighten*

éteindre *to put out, extinguish; to switch off*

incroyable *incredible*

le mari *husband*

pas: faire un pas *to take a step, pace*

la pente *slope*

puissant *powerful*

quotidien-ne *daily*

raide *steep*

sentir *to sense, feel; to smell*

sommeil: avoir sommeil *to be/feel sleepy*

vécu: *past participle of* vivre *to live*

A Trouvez dans le texte les *huit* substantifs *(nouns)* qui correspondent aux définitions suivantes:

exemple   étendue d'eau assez vaste, entourée de terre

réponse   un lac

1 peau d'animal tannée
2 terrain où l'on loge sous la tente
3 saison chaude de l'année
4 histoire d'événements réels ou imaginaires
5 force brutale
6 partie d'un terrain qui est inclinée par rapport à l'horizontale
7 ce qui menace la sûreté, l'existence d'une personne

B Trouvez dans le texte l'équivalent français des expressions et mots suivants:

exemple   there were nine of us

réponse   nous étions neuf

1 I was feeling sleepy
2 frightening
3 while/whilst
4 dressed in

5 they *had* stood up/got up
6 they kept still
7 I feared the worst

C Remplacez les mots et les expressions soulignés dans les phrases suivantes par des mots ou des expressions *ayant le sens contraire,* que vous aurez trouvés dans le texte:

exemple   Il vient d'<u>allumer</u> la lampe.
réponse   éteindre

1 Pendant <u>l'hiver</u> il ne sort guère. Il fait trop <u>froid</u>.
2 Ils <u>montaient</u> l'escalier.
3 Ce chien est <u>inoffensif</u>.
4 Elle est <u>entrée dans</u> la tente.
5 <u>Ignorant</u> leur présence, il s'est <u>assis</u>.
6 <u>Le jour s'était levé</u>.

2 Lisez attentivement le texte et faites les exercices qui le suivent.

C'est la musique qui ouvre les portes [2]

Ils sont venus près du feu. Tout le monde était debout. Puis les   1
enfants ont commencé à s'asseoir. Les trois motocyclistes aussi.
Grégoire a pris son banjo. Alain sa guitare. Ils se sont mis à gratter.
Charlotte a fredonné: 'One more blue and one more grey'. Les trois
motocyclistes ont souri. On a passé des oranges. Alors a suivi une des   5
soirées les plus intéressantes que j'aie vécues ces dernières années. Ils
nous ont raconté qu'ils étaient tous les trois électroniciens, qu'ils
habitaient Detroit et que chaque vendredi ils partaient sur leurs
engins le plus loin possible, à toute vitesse. En général le soir ils
essayaient de trouver des campeurs avec un feu allumé pour faire   10
cuire leur dîner. Mais c'était difficile. Ils étaient généralement mal
reçus. Les campeurs sont souvent armés et dangereux. Ils ont parlé de
leur vie, de ce qu'ils voulaient, de ce qu'était l'Amérique pour eux.

Le lendemain matin ils ont insisté pour faire la vaisselle et le
ménage du camp. Puis, pour nous remercier, ils ont organisé dans les   15
dunes le plus fantastique carrousel. Leurs motos se cabraient comme
des chevaux, dévalaient les pentes, faisaient maître des feux d'artifice
de sable, jusqu'à ce que nous les ayons perdus de vue. Ils étaient
magnifiques.

C'était la musique qui avait ouvert les portes.   20

[texte adapté]

Marie Cardinal, *La Clé sur la porte* Éditions Bernard Grasset

Vocabulaire

se cabrer *to rear (up)*

le carrousel *display*

cuire: faire cuire *to cook*

debout *standing; up and about*

l'électronicien (m) *electronics
engineer*

le feu(x) d'artifice *firework*

fredonner *to hum*

gratter *to strum (here); to scratch*

jusqu'à ce que *until*

ménage: faire le ménage *to do the
cleaning, tidy up*

mettre: se mettre à + inf *to
begin/start to*

vaisselle: faire la vaisselle *to do the
washing-up*

A Trouvez dans le texte l'équivalent français des expressions
suivantes:

1 as far as possible
2 for them
3 in recent years
4 the most interesting
5 the next morning
6 what they wanted

B En vous référant aux deux textes, répondez 'vrai' ou 'faux' aux
observations suivantes:

1 La plupart des campeurs recevaient mal les jeunes
Américains.
2 Les motocyclistes ont souri en voyant les oranges.
3 Ils habitaient une grande ville industrielle de l'autre côté de la
frontière.
4 D'habitude ces jeunes hommes rentraient chez eux le vendredi.
5 L'auteur a beaucoup apprécié leur compagnie.
6 Le lendemain, comme toujours, les campeurs ont fait la
vaisselle.

C Regardez attentivement les adjectifs soulignés à gauche. Il faut les utiliser pour compléter les expressions à droite.

1 un lac <u>canadien</u>

la capitale _____

des visiteurs _____

une des grandes villes _____

2 les <u>jeunes</u> hommes

un _____ chien

les _____ filles

3 trois <u>puissantes</u> motocyclettes

une voiture _____

avec des freins _____

4 les garçons étaient <u>dangereux</u>

une maladie _____

un animal _____

les autoroutes sont _____

5 <u>tous</u> les trois, ils . . .

_____ le temps

_____ les femmes

_____ la classe

6 de <u>gros</u> dessins

une _____ poire

de _____ fautes

un _____ pull

D Voici quelques-uns des participes passés qu'on trouve dans les deux textes ci-dessus. Complétez la liste en remplaçant chaque blanc par l'*infinitif* approprié:

exemple entendu
réponse entendre

vécu   pris   mis   reçu
vu   ouvert   souri   perdu

Ensuite complétez les phrases ci-dessous en insérant convenablement les huit *infinitifs* que vous aurez trouvés.

Notez bien les diverses circonstances dans lesquelles on utilise l'infinitif du verbe.

1 Au lieu de _____ le bateau, il a fait la traversée en avion.
2 Je n'aime pas les grandes villes; j'aimerais mieux _____ à la campagne.
3 J'ai été très content de _____ ta lettre.

4 J'ai dû _____ la fenêtre de la cuisine. Il y avait tant de fumée.

5 Fais vite! Il n'y a pas un instant à _____.

6 Son aspect drôle a fait _____ tout le monde.

7 Il a besoin de _____ de l'argent de côté pour les vacances.

8 C'est un excellent film. Tu vas le _____?

E Voici un résumé de 'C'est la musique qui ouvre les portes [1] et [2]' que vous venez de lire. *Sans le recopier*, faites une liste des quinze mots ou expressions qui manquent.

regardaient	devant	américains	leur vie
la vaisselle	organisé	partir	entendant
les campeurs	leur repas	au bord	reconnaissants
avaient besoin	la plupart	dire	

Il faisait nuit et les motocyclistes ont remarqué un feu de camp [1] _____ du lac. Le soir ils [2] _____ d'un feu allumé pour faire cuire [3] _____.

Quelques instants plus tard ils se sont arrêtés au pied d'une grande dune [4] _____ les campeurs qui s'étaient déjà levés et qui les [5] _____ non sans inquiétude.

Descendus de leurs motos les visiteurs [6] _____ sont venus près du feu et se sont assis sans rien [7] _____. En [8] _____ la musique, ils ont commencé à sourire. On leur a offert des oranges.

Au cours de la conversation suivante ils ont expliqué que [9] _____ des campeurs les recevaient mal et ils ont parlé de l'Amérique et de [10] _____ à Detroit.

Le lendemain matin, avant de [11] _____, les trois jeunes hommes ont insisté pour faire [12] _____ et le ménage du camp. Ils voulaient montrer combien ils étaient [13] _____ de l'accueil qu'on leur avait fait. Quant à eux, [14] _____ ont beaucoup apprécié le carrousel [15] _____ par leurs nouveaux amis.

■■■ Deuxième partie

1 L'Imparfait

Pour former ce temps, il faut remplacer la terminaison -ons du présent par:

(je) -AIS	(nous) -IONS
(tu) -AIS	(vous) -IEZ
(il/elle/on) -AIT	(ils/elles) -AIENT

exemples

	PRÉSENT	IMPARFAIT
finir:	nous FINISSONS	→ je FINISSais *was finishing, used to finish*
prendre:	nous PRENONS	→ il PRENait
écrire:	nous ÉCRIVONS	→ ils ÉCRIVaient

exception   être: j'étais, nous étions   *was/were/used to be*

Les textes que vous venez d'étudier, fournissent de bons exemples des *trois* principaux emplois de l'imparfait:

1 La description (des personnes, des choses, des circonstances) *au passé*:
'j'*avais* sommeil; les flammes *faisaient* briller les chromes; les garçons *étaient* effrayants; Dorothée n'*avait* que douze ans; ils *habitaient* Detroit'

2 Activités habituelles (c'est-à-dire, souvent répétées):
Des locutions adverbiales telles 'le samedi, tous les week-ends, chaque mois', etc. peuvent renforcer l'idée d'une habitude: 'ils étaient *généralement* mal reçus; *le soir* ils essayaient de trouver des campeurs avec . . . ; *chaque vendredi* ils partaient sur leurs engins . . .'

3 Actions inachevées au passé:
'au cours d'un été nous *campions* (*were* camp*ing*) au bord d'un lac . . .'

L'imparfait fait contraste avec le passé composé qui exprime, au contraire, une action achevée: 'pendant que je *me préparais* (*was* gett*ing* ready) à me coucher, j'ai entendu un bruit formidable'.

La phrase: 'Je me préparais à me coucher, quand/lorsque j'ai entendu un bruit formidable' aurait à peu près le même sens. Et, en parlant de l'auteur, on pourrait écrire: 'L'auteur, qui se préparait à se coucher, a entendu . . .'

A Écrivez à l'imparfait les phrases suivantes:

exemples je sors le samedi; nous sommes heureux
réponses je *sortais* le samedi; nous *étions* heureux

1 Je veux y aller.
2 Ils prennent le car.
3 Il nous écrit souvent.
4 Je ne suis pas fatigué.
5 Il leur dit bonjour.
6 J'y vais à pied.
7 Il vient de bonne heure.
8 Elle sert les clients.
9 Que fais-tu?
10 Le cours finit à midi.

B Remplissez les blancs en mettant les verbes entre parenthèses à l'imparfait:

exemple Ils _____ de l'auberge de jeunesse, fatigués après leur longue randonnée et ils _____ à avoir faim. Il _____ déjà sept heures passées et on _____ le repas du soir à 7h30. Ils _____ se dépêcher.   (devoir, être, servir, s'approcher, commencer)
réponse Ils *s'approchaient* de l'auberge de jeunesse, fatigués après leur longue randonnée et ils *commençaient* à avoir faim. Il *était* déjà sept heures passées et on *servait* le repas du soir à 7h30. Ils *devaient* se dépêcher.

1 Je _____ que la plupart des touristes qui _____ leurs vacances dans le Finistère _____ un camping bien aménagé.   (préferer, savoir, passer)
2 Il _____ très lourd et, au loin, on _____ le grondement du tonnerre. Il _____ évident que nous _____ le risque d'être trempés jusqu'aux os. Il _____ retourner à notre campement sans délai.   (courir, faire, falloir, être, entendre)
3 La brochure qu'il _____, _____ de nombreuses activités sportives. Si ses parents _____ d'accord, il _____ faire un stage à une des écoles de voile de Concarneau où _____ ses amis français.   (être, habiter, proposer, lire, espérer)
4 Le moniteur qui nous _____ sur la piste, _____ de Marseille et quelquefois j' _____ de la difficulté à comprendre ce qu'il _____ à cause de son accent. Il _____ toujours de bonne humeur et nous _____ des conseils très utiles. Nous le _____ très sympathique.   (être, trouver, surveiller, donner, venir, dire, avoir)

2 Les Articles (défini et indéfini)

A Complétez les phrases suivantes en remplissant les blancs. Il s'agit d'insérer une préposition ('à' ou 'de') et l'article défini ('le', 'la' ou 'les').

N'oubliez pas les articles contractés (formés avec la préposition 'à' ou 'de': AU, AUX, DU, DES), dont vous aurez sûrement besoin.

exemple _____ heure actuelle beaucoup de Français doivent faire face _____ problème _____ chômage.

réponse *A l'*heure actuelle beaucoup de Français doivent faire face *au* problème *du* chômage.

1 La plupart _____ temps, il travaille _____ étranger, surtout _____ États-Unis.

2 _____ cours _____ été j'ai trouvé un petit emploi _____ Hôtel _____ Voyageurs.

3 En arrivant _____ Havre ils ont laissé la voiture dans un parking près _____ port, _____ lieu de partir tout de suite pour Étretat. Ils voulaient faire le tour _____ centre-ville.

4 Je voudrais réserver un emplacement _____ Camping _____ Pins pour la période _____ 22 juin _____ 7 juillet.

5 Ils gardent un très bon souvenir _____ vacances qu'ils ont passées _____ Pays-Bas.

6 Il pensait souvent _____ jeune Française, dont il avait fait la connaissance _____ auberge de jeunesse _____ mois d'août.

N'oubliez pas qu'en français l'emploi des articles ne correspond pas toujours au nôtre. Notez bien les exemples suivants:

1 Les langues:

Parlez-vous anglais/allemand/français?

mais:

il apprend *l'*anglais/*l'*allemand/*le* français depuis quatre ans; il connaît bien *le* russe; en Suisse *le* français et *l'*allemand sont les langues principales

2 Les parties du corps:

il avait *les* yeux bleus/*les* cheveux noirs; il a ouvert/fermé *la* bouche
(action with); il s'est coupé *le* doigt, elle s'est cassé *la* jambe/*le* bras
(action <u>to</u>, verb reflexive)

3 Adverbes de temps:

le matin/*le* soir *(habitually in the morning/evening)*; *le* mardi *(on
Tuesdays)*; *le* week-end *(at weekends)*

4 Les pays:

en France/Écosse; il revient d'Espagne;
mais:
la France a battu *l'*Irlande 15–0; *l'*Angleterre y joue un rôle important

5 Les habitants et les métiers:

c'est un Anglais *mais* il est Anglais; je crois qu'elle est Espagnole; je
voudrais être électronicien; son père, qui est pharmacien . . .

6 Exclamations:

Quelle surprise!   Quel voyage!

7 Généralisations:

je préfère *le* vin *au* cidre; *les* Allemands adorent *la* choucroute

B Refaites les phrases suivantes en insérant les articles, définis (le, la,
les) ou indéfinis (un, une, des), qui ont été omis:

exemple   soir, s'il fait beau, nous faisons courte promenade long de
rivière
réponse   *Le* soir, s'il fait beau, nous faisons *une* courte promenade *le*
long de *la* rivière.

1 A son avis, français est langue difficile. Il préfère allemand.
   Parlez-vous allemand?
2 Quelle déception! A Pentecôte elle s'est cassé cheville et elle ne
   pourra pas participer à échange avec autres élèves.
3 Que fais-tu week-end? Moi, j'ai habitude de faire randonnée à
   campagne avec mes copains.

4 Tu as déjà choisi métier? Moi, je voudrais être pilote. Il paraît que pilotes sont bien rémunérés.

5 Tout monde a impression qu'Anglais adorent chiens.

6 En tournant tête, il a vu syndicat d'initiative d'autre côté de rue.

3 Traduisez en anglais 'C'est la musique qui ouvre les portes [1]' à la page 1 depuis 'La panique m'a prise . . .' jusqu'à '. . . violence américaine, s'étaient levés.'

4 Traduisez en français le passage suivant:

We were sitting round the campfire after dinner, when two cyclists arrived. They were looking[1] very tired and gratefully accepted a cup of coffee. Both of them[2] were studying computer science at Rennes University and were hoping to find a job abroad. At weekends, if it was fine, they often went on a cycling trip. We asked them[3] lots of questions about[4] life in Brittany.

1 comparer: Elles avaient l'air content.	3 poser une question *à* quelqu'un
2 comparer: Ils viennent tous (les) deux de Lille.	4 sur

Vocabulaire utile

avec reconnaissance (*après* le verbe)   l'informatique (f)
à l'étranger   faire une randonnée à vélo

5   **A** Répondez en français aux questions suivantes sur les deux textes:

1 Comment est-ce que l'auteur et sa famille passaient leurs vacances cet été-là?

2 Pourquoi la mère n'est-elle pas restée près du feu avec les autres?

3 Que faisait-elle quand les motocyclistes sont arrivés?

4 Les campeurs avaient de bonnes raisons d'être inquiets. Lesquelles? (Faites mention de l'arrivée dramatique des motocyclistes, de leur air menaçant, de leur silence, de la couleur de leurs vêtements.)

5 Qu'est-ce que les jeunes Américains ont commencé à faire en entendant la musique?

6 Comment est-ce que la plupart des campeurs recevaient ces jeunes hommes?

7 Qu'est-ce qu'ils ont fait le lendemain matin pour aider l'auteur et sa famille?

B *Comment passent-ils leurs vacances?*

Utilisez les notes ci-dessous pour écrire un paragraphe en français sur les projets de vacances de quatre jeunes Français.

exemple Robert – en vacances – parents et sœurs – emplacement déjà réservé – caravane, tentes – quinze jours – terrain de camping normand – côte – 3 km

réponse POSSIBLE Cet été *Robert* part *en vacances* avec ses *parents* et ses *sœurs*. Son père a *déjà réservé* un *emplacement* pour leur *caravane* et leurs *tentes* à un *terrain de camping normand* qui est situé à *trois kilomètres* de la *côte*. Ils y passeront *quinze jours*.

1 Les Ménard – louer – maison de plain-pied – côte ouest – première quinzaine d'août – au sud de La Rochelle. Parents – se reposer au soleil – tandis que – enfants – pratiquer – sports nautiques: Sylvie (14 ans) – apprendre à – planche à voile – frère, Claude, – stage de plongée sous-marine

2 Cette année, André – profiter des grandes vacances pour travailler – supermarché. Avec – argent gagné – vouloir – nouveau sac à dos – chaussures solides. L'intention – huit jours – parc national des Cévennes – club de randonneurs dont – membre. Vers – fin – août

3 A la rentrée – septembre – Marianne, lycéenne de Nantes – première; se spécialiser – langues vivantes – et en août – trois semaines – Angleterre – école de langue. Parents – d'accord – pourvu que – contribuer aux frais de – séjour linguistique

C Racontez brièvement en francais (40–50 mots) comment vous avez passé les grandes vacances.

Chapitre 2
A la télé

Première partie

1 Qu'y a-t-il à la télé?

Lisez attentivement les notes suivantes écrites à l'intention des téléspectateurs.

Enquête: 'Zone interdite' dimanche, 20h45 – M6

L'hôpital, c'est, comme son nom l'indique, avant tout l'hospitalité. Une grande maison, ouverte à tous. Un des rares bastions de la démocratie française: l'accès aux soins doit y être libre. On y entre donc sans jamais avoir à donner des preuves de sa race, sa religion, sa fonction. Un lieu dont la République n'a pas à rougir. Seulement voilà, cette permissivité n'est pas sans créer des problèmes. A la Pitié-Salpêtrière, les SDF hantent les sept kilomètres du sous-sol de l'établissement: normal, il y fait chaud. Il n'y a pas si longtemps, c'est ici qu'un sans-abri en a tué un autre. A l'hôpital Lariboisière, à deux pas de Barbès[1], ce sont les toxicos qui descendent au sous-sol pour se shooter ou partager leur butin. Pas étonnant que le personnel redoute de s'y aventurer. Même en surface l'accueil des malades aux urgences n'est pas de tout repos. 'Avant on nous respectait,' explique une des infirmières. 'Maintenant on nous insulte, nous frappe.'

Ce n'est pas normal d'avoir à affronter ce sentiment de peur dans la vie professionnelle. Renforcer la sécurité est devenu indispensable: la Pitié dépense 60 millions de francs par an pour son service de télésurveillance et de vigiles avec chien.

Le Nouvel Observateur

1
5
10
15

---

1 Barbès: one of the older districts of Paris, not far from la gare du Nord

Vocabulaire

l'accueil (m) *welcome; reception*

le butin *loot; booty, spoils*

l'enquête (f) *enquiry; survey*

pas: à deux pas de *within a stone's throw from*

la preuve *proof*

redouter *to dread; to fear*

repos: n'est pas de repos *is no picnic, no rest cure*

le sans-abri *homeless person*

le SDF (Sans Domicile Fixe) *person of no fixed abode*

les soins (m pl) *treatment, care*

le sous-sol *basement*

le toxico(mane) *drug addict*

tuer *to kill*

urgences: aux urgences *in casualty*

le vigile *security guard; night watchman*

zone interdite *out of bounds*

'Vous vous souvenez de moi?', téléfilm français de 100 minutes jeudi, 20h45 – TF1

A Marseille le commissaire Rocca reçoit par courrier la photo de   1
madame Renard, une rentière avare et cupide. Quelques heures plus
tard, il apprend que la vieille dame a été retrouvée sans vie, une flèche
entre les yeux. Rocca commence à s'inquiéter lorsqu'il trouve sur son
bureau une deuxième photo et qu'on lui annonce un nouveau   5
meurtre.

Libération

Vocabulaire

cupide *grasping*

la flèche *arrow*

le meurtre *murder*

le rentier, la rentière *man/woman of independent means*

Feuilleton français, durée: 1h40 lundi 20h55 – France 2 'Le château des Oliviers'

Comme chaque été, Estelle Laborie retrouve la maison de ses   1
ancêtres, le château des Oliviers. Mais, cette année, elle arrive avec un
sentiment particulier. Après cinq années de vie commune, elle a
rompu avec Jérôme. Elle veut à présent retrouver ses racines et
redonner vie à ce domaine à moitié abandonné. Elle en informe sa   5
famille lors du pique-nique traditionnel qui ouvre la belle saison aux
Oliviers. Mais elle n'imagine en aucun cas qu'à quelques kilomètres de

là, à la mairie de Châteauneuf-du-Pape, Pierre Séverin, un puissant homme d'affaires, est en train de préparer avec l'appui du maire de la ville, Mireille Bouvier, un vaste complexe immobilier de loisirs qui 10 prévoit la destruction de son domaine.

Le Figaro

Vocabulaire

l'appui (m) *support*

commun(e): vie commune *living together*

le domaine *estate*

le feuilleton *serial; soap (opera)*

immobilier-ière *property*

prévoir *to plan for (here); to foresee, anticipate*

la racine *root*

rompre *to break*

A Trouvez dans les textes ci-dessus les expressions suivantes:

1 to create problems
2 not so long ago
3 to venture (down) there
4 a feeling of fear
5 a few hours later
6 by mail
7 to bring back to life
8 a few kilometres away from there

B Sans recopier les phrases suivantes, choisissez et notez les mots ou les locutions qui donnent le mieux le sens des textes:

exemple Les malades _____ accès aux soins. (n'ont pas toujours/voudraient avoir/ont toujours)

réponse ont toujours

1 Les SDF apprécient _____ du sous-sol. (l'ambiance/le calme/la chaleur)
2 Le personnel de l'hôpital descend au sous-sol _____. (à contrecœur/volontiers/régulièrement)
3 Les malades que l'on reçoit de nos jours aux urgences sont _____ qu'autrefois. (plus reconnaissants/plus difficiles/plus respectueux)
4 Madame Renard _____. (a peur d'être tuée/a été grièvement blessée/est déjà morte)
5 A l'avenir Estelle Laborie passera _____ au château des Oliviers. (plus de temps/moins de temps/la moitié de son temps)
6 Elle _____ des projets de Pierre Séverin. (ignore tout/a entendu parler/est au courant)

7 Le maire de la ville _____ cet homme d'affaires. (a refusé d'aider/ne peut pas aider/a décidé d'aider)

8 Cet homme d'affaires voudrait (habiter/restaurer/faire démolir) le château.

C *En famille*

Complétez les listes ci-dessous en remplaçant les blancs par un nom, un adjectif ou un verbe (l'infinitif) appartenant à la même famille. Vous trouverez les mots dont vous aurez besoins dans les textes.

	verbe	nom	adjectif
1	hospitaliser	_____	hospitalier-ière
2	_____	l'aventure (f)	aventureux-euse
3	prouver	_____	prouvable
4	chauffer	la chaleur	_____
5	_____	l'inquiétude (f)	inquiet-ète
6	_____	l'imagination (f)	imaginaire
7	libérer	la liberté	_____
8	soigner	_____	soigneux-se

2   Modelès à suivre

A ■ «Pierre Séverin *est en train de* préparer un vaste complexe . . . »

En train de (+l'infinitif) renforce l'idée de continuité au présent et à l'imparfait:

il *est en train de lire* son journal   (. . . *is* (busy) read<u>ing</u> . . .)

il *était en train de lire* son journal   (. . . <u>*was*</u> (busy) read<u>ing</u> . . .)

devant le kiosque il y avait des voyageurs *en train de lire* leur journal   (. . . (who were) read<u>ing</u>)

Refaites les phrases ci-dessous en employant la locution 'en train de':

exemple   Elle était occupée à passer l'aspirateur.

réponse   Elle était en train de passer l'aspirateur.

1 En ce moment elle soigne les malades.

2 Ne le dérangez pas. Il regarde son feuilleton préféré.

3 Par la fenêtre j'ai vu un monsieur qui nettoyait sa voiture.

4 A ce moment-là il faisait des révisions dans sa chambre.

5 Quand nous sommes arrivés, ils prenaient l'apéritif.

B ■ «A l'hôpital Lariboisière, *à deux pas de* Barbès, . . . »
■ «. . . *à quelques kilomètres de là*, à la mairie . . . »
■ «Les motos se sont arrêtés *à dix mètres de* nous. »

Dans le but de suivre les exemples ci-dessus, composez des phrases en utilisant les expressions et les mots suivants:

exemple quelle distance – nous – la gare?
réponse *POSSIBLE* A quelle distance sommes-nous de la gare?

  1 camping – 3 km – côte.
  2 nous – habiter – deux pas – magasins.
  3 quelle distance – l'auberge de jeunesse – le centre-ville.
  4 port – quart d'heure à pied – hôtel.
  5 se trouver – heure de route – capitale.

3 Lisez attentivement le texte suivant, puis répondez en français aux questions.

Extérieur, nuit . . .

La société de production *Hamster* tourne une nouvelle série policière: 1
système Navarro. Les treize épisodes, de 90 minutes chacun, sont
écrits par plusieurs scénaristes. Chaque histoire est complète, mais
l'ensemble forme un 'roman' tissé autour du commissaire Navarro,
ses quatre adjoints et sa fille.   5
    Le producteur de la série insiste sur la psychologie du personnage
principal. 'C'est un nouveau style de polar qui se rapproche des
romans psychologiques de l'Anglaise P D James. Si Navarro porte un
revolver, c'est surtout pour ne pas s'en servir! Il considère les voyous
qu'il traque comme des salauds, mais aussi comme des hommes à   10
comprendre et sur lesquels il faut porter un regard humain.'
    Navarro est un flic sympathique, sans être parfait, moderne mais
sans agressivité. Les histoires traitent des problèmes de la capitale.
Dans l'épisode intitulé 'Barbès de l'aube à l'aurore', les deux loubards
qui sèment la terreur dans le quartier sont commandités par un   15
promoteur immobilier qui cherche à chasser les habitants pauvres
pour effectuer des opérations de rénovation lucratives.
    La moitié des scènes sont tournées dans un studio en banlieue,

l'autre moitié dans les rues de Paris. Mais il faut l'autorisation de la préfecture (souvent refusée pour des raisons de sécurité ou de circulation), et surtout être en bonne intelligence avec les services de police qui surveillent le tournage ... 20

Les habitants du quartier qui n'étaient pas encore partis en vacances, étaient sur le qui-vive depuis sept heures du matin. En ouvrant leurs volets, ils avaient compris que ce ne serait pas un jour 25 comme les autres. Un gros camion blanc, portant l'inscription CINE-GRIP, squattait devant *Le Diplomate*, café-tabac du square.

'Tu vois bien ce qui est marqué?' dit son voisin à Marcel, pilier du bar depuis sa retraite. 'On va tourner un film chez nous. Pensez donc, faire du cinéma dans notre vieux quartier! C'est enfin la gloire ... On 30 va être filmé, peut-être même – qui sait – vu à la télé!'

Vers 22 heures, les choses commencent à se préciser. Des équipes techniques s'affairent aux quatre coins de la place. On installe des 'sunlights' à côté des réverbères, on allonge des rails sur la chaussée pour les 'travellings', on dispose des barrières aux points stratégiques 35 pour canaliser la circulation – qui sera tout bonnement interrompue pendant les prises de vue – et cantonner le public, de plus en plus nombreux, hors du champ des caméras.

Au cri de 'Silence! Moteur! 241/2ᵉ, ça tourne!' un scooter arrive en trombe, chévauché par deux loubards masqués et casqués, qui se 40 précipitent dans une laverie self-service pour faire un hold-up. 'Coupez!' La scène a été perturbée par l'arrivée inattendue d'un énorme car, arborant un panneau: De Harde's Tours (Amsterdam). Tel un éléphant dans un magasin de porcelaine, le car, garé à quelques mètres des caméras, déverse son chargement de touristes néerlandais. Insensibles à 45 la panique qu'ils sèment, ces étrangers sont sans doute persuadés que cette mise en scène fait partie des délices du 'Paris by night' organisées à leur intention.

La troisième prise est bonne. Les deux loubards ont réussi leur hold-up et se sont enfuis en scooter poursuivis par une voiture de 50 police. Le tout n'a pas duré plus d'une minute pour deux heures de préparation.

[texte adapté]
Le Monde (Radio–Télévision)

Vocabulaire

l'adjoint (m) *assistant; deputy*

s'affairer *to bustle about*

l'aube (f) *dawn*

bonnement: tout bonnement *quite simply*

cantonner *to confine*

la chaussée *road(way)*

commanditer *to finance, back*

déverser *to disgorge*

le flic *cop*

inattendu *unexpected*

insensible *indifferent*

intelligence: être en bonne intelligence avec *to be on good terms with*

intention: à leur intention *for their benefit*

le loubard *thug, hooligan*

la mise en scène *production*

le personnage *character (play, novel)*

le pilier *pillar; regular (here)*

le polar *detective novel/story*

la retraite *retirement*

le réverbère *street lamp*

le salaud *swine*

semer *to sow*

surveiller *to keep an eye on*

tisser *to weave*

tourner *to film, shoot*

trombe: arriver en trombe *to come racing up*

le voyou *lout, thug*

vue: la prise de vue *shooting, shot (filming)*

A

1 Où est-ce que l'action se déroule dans les treize épisodes de la série?

2 Quels sujets est-ce qu'on traite dans ces épisodes?

3 Qu'est-ce que le promoteur espère pouvoir rénover?

4 Dans quelles circonstances la préfecture refuse-t-elle d'autoriser le tournage?

5 Quand les habitants du quartier avaient-ils remarqué le gros camion blanc?

6 Quelle conclusion avaient-ils tirée de sa présence?

7 Qu'est-ce que les équipes techniques avaient fait pour canaliser la circulation?

8 Combien de temps avaient-elles passé à faire les préparatifs?

9 Pourquoi a-t-on dû interrompre le tournage?

10 A cette époque de l'année (fin juillet) il y avait moins de monde que d'habitude dans les rues du quartier. Pourquoi?

B Complétez les phrases suivantes en cherchant dans le texte les détails necessaires:

exemple C'est _____ qui joue le rôle principal dans cette série.
réponse C'est *le commissaire Navarro* qui joue le rôle principal dans cette série.

1 Ce polar rappelle au producteur _____ de P D James.

2 La moitie des scènes sont tournées dans les rues de Paris; pour filmer les autres scènes on se sert de _____.

3 Le commissaire a une mauvaise opinion _____ qu'il traque; pourtant il cherche à _____ d'un œil compatissant.

4 Le promoteur immobilier espère que, si les habitants du quartier, pris de panique, décident de déménager, il pourra _____ à bas prix.

5 Il est interdit de filmer dans les rues sans _____.

6 C'est la présence devant le café-tabac de _____ qui a éveillé la curiosité des _____.

7 Depuis sa retraite Marcel _____ café-tabac du coin.

8 Vers dix heures du soir les _____ en train de faire les préparatifs pour _____.

9 Les deux loubards, portant _____, font irruption dans _____.

10 Les Néerlandais ont l'impression qu'on _____ simplement pour les divertir.

■■ Deuxième partie

1 Les Verbes qui se conjuguent avec 'être' aux temps composés

Tous les verbes transitifs *(transitive, taking a direct object)* et la plupart des verbes intransitifs se conjuguent avec 'avoir' aux temps composés. Par contre, tous les verbes pronominaux *(reflexive)* se conjuguent avec 'être', ainsi que le petit groupe de verbes intransitifs ci-dessous:

aller	(re)venir	(re)monter	(re)descendre
arriver	(re)partir	naître (né)	mourir (mort)
(r)entrer	(res)sortir	rester	tomber
			retourner

NB revenir *(to return*, come *back)*; rentrer *(to return (home))*; retourner *(to return, go back)*

exemples

Elle est déjà rentré*e*.	N'es-tu pas allé*(e)* en ville?
Nous y sommes arrivé*(e)s*.	Ils ne sont pas sorti*s*.

Comme vous le voyez, *le participe passé s'accorde toujours avec le sujet du verbe.*

Notes

1 La plupart des composés de 'venir' (devenir, parvenir, survenir, etc.) se conjuguent avec 'être'. Exception: 'prévenir', verbe *transitif*, *(to (fore)warn, let know, inform)*.

2 Le verbe 'passer', quand il exprime la même idée de mouvement que le verbe 'aller', se conjugue d'habitude avec 'être':
elle *est passée* chez ses amis/à la banque/devant la poste, etc.

3 Quelques-uns des verbes ci-dessous s'emploient transitivement aussi, *avec un sens différent et 'avoir' comme auxiliaire*:
rentrer *(to take/bring in, etc.)*: Il a rentré la voiture au garage.
sortir *(take/bring out, etc.)*: Elle a monté leur petit déjeuner.
monter *(to take, bring up, etc.)*: Nous avons sorti nos passeports.
descendre *(to take/bring down, etc.)*

retourner *(to turn over/inside out, to send back, etc.)*

NB 'avoir' est l'auxiliaire dans les exemples suivants:
Elle a monté la rue/les marches/l'escalier.
Ils ont descendu la colline/l'escalier/l'avenue.

A Écrivez au passé composé:

exemples	réponses
1 Elle partira mardi.	1 Elle *est partie* mardi.
2 Elle sort le chien.	2 Elle *a sorti* le chien.

1 Ils vont au collège à pied.
2 Elles repartiront dès l'aube.
3 La femme de chambre descendit les bagages.
4 Quand reviendrez-vous, messieurs?
5 Il perdit l'équilibre et tomba à l'eau.
6 Les enfants rentrent à la maison vers cinq heures.
7 A quelle heure sors-tu, Jeanne?
8 Nous restons pour aider les autres garçons.

B Mettez les phrase suivantes au passé composé, en changeant, au besoin, les adverbes de temps:

exemples

1 Ils iront à l'hôpital demain soir.
2 Elle partira pour l'Amérique dans huit jours.

réponses

1 Ils *sont allés* à l'hôpital *hier soir*.
2 Elle *est partie* pour l'Amérique *il y a huit jours*.

1 Son amie rentrera à la maison la semaine prochaine.
2 Elle ne restera pas longtemps là-bas.
3 Mes cousines retourneront à Paris mardi prochain.
4 Que deviendra-t-il?
5 Qu'est-ce qui arrivera?
6 Sa grand-mère sortira de l'hôpital après-demain.
7 Louise et sa tante passeront nous voir demain.
8 Ils partiront en vacances dans quinze jours.

2 L'Article partitif

exemples

Chez l'épicier d'une petite ville de province, on peut acheter DU café, DE LA farine, DE L'huile d'olive et DES épices de toutes sortes.

DE LA patience, DE LA diligence, DU courage, DE L'intelligence, DE L'initiative ... et DE L'optimisme, qualités dont l'étudiant(e) de langues vivantes fait constamment preuve!

A 1 Employez l'article partitif en nommant *trois* produits en vente:
   a chez le marchand de légumes et de fruits
   b dans une crémerie
   c dans le rayon de la parfumerie d'une grand magasin.
   2 Qu'est-ce qu'on peut obtenir (peut-être à titre gratuit) au syndicat d'initiative?

Notes

1 On remplace 'du', 'de la', 'de l'', 'des' par DE (D'):

   a DANS UNE PHRASE NÉGATIVE:

   elle ne fait jamais DE fautes; il n'y a plus DE lait; il n'a pas acheté DE pain

   b APRÈS UNE EXPRESSION DE QUANTITÉ:

   il lui reste très peu DE temps; il y a tant DE verbes irréguliers; il a plus DE loisirs que nous; que DE bruit!; combien y a-t-il D'élèves dans cette classe?

NB Exceptions: la plupart *des* élèves *(most/the majority of the)*; après bien *des* années *(many)*; encore *du* café *(some more)*

   c *DE* REMPLACE 'DES' DEVANT UN ADJECTIF PLURIEL:
   Comparez:
   des villes françaises – D'*autres* villes françaises
   des fermiers bretons – DE *nombreux* fermiers bretons

NB Il y a pourtant certaines combinaisons d'adjectifs et de noms qui forment une espèce de nom composé. Devant ces combinaisons on trouve 'des': des jeunes filles; des petits pois; des jeunes gens; des petits pains, etc.

2 Notez bien les exemples suivants, dans lesquels 'DE' est obligatoire:
   Je ne vois *rien* D'intéressant. Je n'ai *rien* trouvé D'anormal.

Il se passe *quelque chose* DE bizarre.
Ce que j'ai trouvé D'intéressant, c'est . . .
Ils ont besoin de *quelqu'un* DE plus expérimenté.
Parmi les candidats il n'y a *personne* D'expérimenté.

B Sans recopier les phrases suivantes, remplissez les blancs en y insérant un article partitif approprié (du, de la, de l', des ou de, d'):

exemple   Il y avait déjà _____ centaines _____ passants sur la place et, peu après, un renfort _____ agents est arrivé.
réponse   . . . des . . . de . . . d' . . .

1   Il y avait dans la rue _____ jeunes gens qui faisaient tant _____ bruit que les flics leur ont demandé de circuler.
2   On y passe _____ vieux films américains la plupart _____ temps; je voudrais voir quelque chose _____ plus intéressant: _____ documentaires ou _____ nouveaux téléfilms français.
3   Puisqu'on n'avait plus _____ Brie, elle a dû acheter _____ Camembert.
4   On devrait diffuser _____ tels programmes plus tard. Il y a trop _____ langage grossier.
5   Cette jeune fille a _____ initiative.

C Refaites les phrases suivantes en insérant convenablement les articles partitifs qui manquent:

exemple   C'étaient Anglais en vacances qui passaient une quinzaine jours à faire camping sauvage.
réponse   C'etaient *des* Anglais en vacances qui passaient une quinzaine *de* jours à faire *du* camping sauvage.

1   Chaque année il y a davantage voitures, ce qui explique le nombre croissant accidents. En outre, nombreux chauffeurs roulent trop vite.
2   Que bruit! Il se passait quelque chose anormal dans la rue et il n'y avait pas assez agents de police pour surveiller la foule passants.

3 On voyait, sur le petit écran, que l'arbitre avait mal à se frayer un chemin à travers les groupes spectateurs, hurlant injures, qui avaient envahi le terrain; jusque-là, il n'y avait eu personne blessé.

4 Ce soir, nous mangerons pâtes que je ferai cuire dans eau bouillante, en y ajoutant deux cuillerées huile d'olive et, cela va sans dire, sel.

3 Le Plus-que-parfait

C'est le 'temps du verbe exprimant une action passée antérieure à une autre action passée'.

Dictionnaire du Français Contemporain

Formation: l'imparfait de l'auxiliaire ('avoir' ou 'être'), suivi du participe passé:

FINIR	ALLER	SE LEVER
j'avais fini	j'étais allé(e)	je m'étais levé(e)
tu avais fini	tu étais allé(e)	tu t'etais levé(e)
on/il/elle avait fini	on/il était allé	on/il s'était levé
nous avions fini	elle était allée	elle s'était levée
vous aviez fini	nous étions allé(e)s	nous nous étions levé(e)s
ils/elles avaient fini	vous étiez allé(e)(s)	vous vous étiez levé(e)(s)
	ils étaient allés	ils s'étaient levés
	elles étaient allées	elles s'étaient levées

exemples

La nuit *était tombée*, quand nous y sommes arrivés.   *had fallen*
Les enfants *s'étaient* déjà *couchés*, quand papa est rentré.   *had gone to bed*
Ils *avaient travaillé* toute la journée.   *had worked/had been working*

A Transposez en discours indirect en remplaçant les mots '... dire/expliquer: "..." ' par les mots '... dire/expliquer *que* ...'. Faites attention au temps (imparfait, plus-que-parfait) et à la personne (je, tu, il, etc.) des verbes et n'oubliez pas de changer les adverbes de temps.

exemples

1 Un des amis de Marcel a dit: 'En me levant ce matin j'ai remarqué le gros camion blanc.'

2 Elle a dit: 'J'ai perdu mes gants hier quand je faisais mes courses.'

réponses

1 Un des amis de Marcel a dit *qu'*en *se* levant *ce matin-là il avait* remarqué le gros camion blanc.

2 Elle a dit *qu'elle avait* perdu *ses* gants *la veille* quand *elle faisait ses* courses.

1 L'infirmière a dit: 'On a trouvé hier un vieux mendiant sans vie au sous-sol et je n'y suis pas descendue depuis.'

2 Il leur a expliqué: 'Ma voiture est tombée en panne.'

3 Elle m'a demandé: 'Est-ce que vous vous êtes remise de votre accident?' *(Elle m'a demandé si . . .)*

4 Le commissaire a dit à son adjoint: 'La rentière dont on m'a envoyé une photo est morte.'

5 Il nous a demandé: 'A quelle heure êtes-vous arrivés chez votre tante?' *(Il nous a demandé à quelle heure . . .)*

B Mettez aux temps convenables (imparfait, passé composé ou plus-que-parfait) les verbes entre parenthèses:

exemple

Il (commencer) à faire nuit et les habitués du café-tabac, qui s'y (réunir) presque tous les soirs, (sortir) pour voir ce qui (se passer).

réponse

commençait . . . s'y réunissaient . . . sont sortis . . . se passait

Quand Marcel (entrer) dans 'Le Diplomate', ses amis, qui (être) assis autour d'une table près de la fenêtre, (parler) du gros camion blanc qu'on (garer) devant le café-tabac pendant la nuit. Il leur (dire) qu'il le (voir) comme il (ouvrir) les volets vers sept heures. Il (être) persuadé qu'on (aller) filmer dans leur vieux quartier. Les autres (éclater) de rire.

4 Traduisez en anglais l'avant-dernier paragraphe du texte 'Extérieur, nuit . . .' à la page 18 depuis 'Au cri de "Silence! Moteur! . . ."' jusqu'à '. . . organisées à leur intention.'

5 Traduisez en français le passage qui suit:

The young woman has been stabbed to death. An old gentleman who was taking his dog for a walk in the park, had found her, half hidden[1] under a bush a few yards from the edge of the lake. Inspector Moreau, superintendent Bonnard's assistant, was busy looking for clues in the grass when the latter got out of a police car. 'Has the pathologist arrived,' Bonnard asked[2] him[3] curtly. 'Not yet, sir,' replied the inspector, 'and so far we have not been able to identify the victim of the attack: no handbag and there was nothing useful in the pockets of her anorak.'

---

1 comparer: ... les loubards *recherchés* par la police ...
   [participe passé du verbe servant d'adjectif]
2 comparer: 'Non,' leur *a dit le professeur*.
   [inversion du sujet]

3 demander *à* quelqu'un [objet indirect]
   EXEMPLE Il leur a demandé de se taire

Vocabulaire utile

tué(e) à coups de couteau   promener   à moitié   le buisson   le bassin
l'indice (m)   ce dernier/celui-ci   le médecin légiste   brusquement
jusqu'ici   l'agression (f)

6 Points de vue

Quand il s'agit d'exprimer une opinion, les expressions suivantes
pourraient vous être utiles:
Je crois/trouve/estime que ...   J'ai l'impression que ...
A mon avis, ...   A ce qu'il me paraît/semble, ...
Il me semble/paraît que ...   Je suis persuadé(e) que ...

En ce qui concerne la télévision, vous aurez peut-être besoin d'évaluer
la qualité/l'utilité des programmes:
il y a trop de/il n'y a pas assez de ...
il devrait y avoir plus/moins de ...
la plupart des programmes/téléspectateurs ...
certains programmes s'adressent à ...
un large public/un public (trop) limité ...
émissions destinées à ...
diffuser/rediffuser un programme ...

A Répondez brièvement en français aux questions suivantes:

1. Est-ce qu'on consacre trop/assez de temps aux sports (matchs en direct/en différé – Jeux Olympiques, etc.)? *(Je trouve que . . .)*
2. Est-ce qu'on présente objectivement les informations télévisées/ les documentaires? *(A mon avis, . . .)*
3. De quelles sortes de programmes voit-on trop/ne voit-on pas assez? *(Il me semble que . . .)*
4. Que pensez-vous des programmes éducatifs? Y en a-t-il de qualité? *(J'estime que . . .)*
5. Qu'est-ce que la télévision par câble ou satellite peut offrir à l'étudiant(e) de langues vivantes? *(Je suis persuadé(e) que . . .)*
6. Quelles sortes de programmes attirent le plus grand public? *(A ce qu'il me paraît, . . .)*
7. Y a-t-il, à votre avis, assez d'émissions destinées aux jeunes?
8. On dit que la télévision exerce quelquefois une mauvaise influence. Donnez-en des exemples.
9. Quelle sorte de programme aimez-vous le mieux? Pourquoi?

B Le rendez-vous de la semaine, un film d'aventure recommandé par tous les critiques: samedi, 21h30 – TF1

Incorporant le vocabulaire ci-dessous, écrivez des notes (50–60 mots) à l'intention des téléspectateurs. Évidemment, il vous faudra changer l'ordre des mots et des expressions (et, au besoin, leur forme grammaticale). Donnez un titre au film, mais n'en révélez pas le dénouement.

Voici la première phrase:
Sur la piste de deux terroristes internationaux qui ont enlevé le fils d'un grand industriel, le commissaire Bonnard se rend en Corse . . .

la vie du petit André est en jeu – une ferme isolée – déguisés en touristes suisses – atterrir à l'aéroport d'Ajaccio – dans la montagne – menacer de tuer – deux de ses meilleurs agents – au cœur de l'île

Chapitre **3**

Requins et rémoras

■■ Première partie

1 Lisez attentivement le texte suivant, avant d'aborder les exercices.

Requins et rémoras [1]

Au collège Pablo-Picasso de Saulx-les-Chartreux (Essonne), une   1
expérience pédagogique très originale donne des résultats
spectaculaires.

Entre midi et deux heures, on travaille. Tous les jours, une
soixantaine de 'requins' retrouvent leur 'rémora' à l'heure de la   5
récréation pour travailler, sans professeur ni surveillant, dans les
disciplines de leur choix. Les requins, ce sont les élèves de sixième, les
rémoras, des volontaires de quatrième et de troisième qui se sont
engagés à 'adopter', le temps d'une année scolaire, un élève plus jeune
et à l'aider dans son travail une heure ou deux par semaine.   10

Un rémora est un petit poisson-pilote. Muni d'une ventouse, il
s'accroche au ventre des requins et des baleines, qu'il guide dans leurs
déplacements. Les grands ont apprécié l'image, et les débutants se
sont très vite identifiés au monstre carnivore.

Dans les salles où sont installés les élèves, les visages sont sérieux.   15
Les uns font des maths, les autres de l'anglais ou de la grammaire,
selon les besoins particuliers de
chaque requin.

Les tableaux noirs sont mis à
contribution: Fatima, élève de   20
troisième, dicte des verbes
anglais irréguliers à Rosine, son
requin. L'œil rivé sur un manuel
de sixième, elle ne laisse passer
aucune faute. Valérie, élève de   25
troisième également, occupe

l'autre moitié du tableau. Elle y inscrit une liste impressionnante de 'verbes à conjuguer' pour Jérôme qui est faible en français. Ce dernier a un cahier spécial où il fait ses exercices de requin: dictées, conjugaisons, analyses de phrases.   30

L'idée d'organiser un 'tutorat inter élèves' a germé dans la tête d'un professeur d'arts plastiques de l'établissement. Dans sa classe de sixième, un mois seulement après la rentrée, quatorze élèves sur 24 connaissent déjà des difficultés en lecture et en mathématiques, et presque tous ont du mal à organiser leur travail. En outre, les élèves   35 de sixième s'intègrent mal à la vie de l'établissement et se font un peu malmener par les plus grands.

Détail important: la quasi-totalité des élèves (700 sur 850) sont demi-pensionnaires. Ils peuvent disposer d'au moins une heure par jour pour cette activité.   40

[à suivre]

Vocabulaire

s'accrocher à *to cling to*	plastique: arts plastiques *fine arts*
la baleine *whale*	la quasi-totalité *almost all*
les demi-pensionnaires *dinner pupils*	le rémora *pilot-fish*
le déplacement *movement*	la rentrée *beginning of term*
la discipline *subject (here)*	le requin *shark*
l'expérience (f) *experiment*	rivé *riveted (here)*
la lecture *reading*	le surveillant *supervisor*
malmener *to bully*	le tutorat *tutorial*
muni de *provided/equipped with*	la ventouse *sucker*
outre: en outre *besides, moreover*	le ventre *stomach*

A Dites si les phrases suivantes sont vraies ou fausses, et corrigez celles qui, à votre avis, sont fausses:

1 Les classes reprennent l'après-midi entre midi et deux heures.
2 Les volontaires aident les débutants pendant toute l'année scolaire.
3 Les élèves prennent ces 'tutorats' au sérieux.
4 Sous le regard vigilant de Valérie, Jérôme conjugue ses verbes anglais.
5 Les professeurs permettent aux élèves de se servir des tableaux noirs.

6 Le professeur d'arts plastiques n'est pas content de la façon dont les débutants se sont intégrés à la vie du collège.

7 La plupart des débutants sont forts en maths.

8 Presque tous les élèves prennent le déjeuner au collège.

9 Ce sont les grands qui choisissent la discipline.

10 Les débutants n'ont pas tardé à s'identifier au requin.

B Dressez une liste des mots qui manquent dans les phrases suivantes:

exemple Les demi-pensionnaires prennent _____ au collège.
réponse le déjeuner/le repas de midi

1 _____ est divisée en trimestres.

2 En parlant du collège, on emploie aussi le terme '_____'.

3 L'ensemble des règles à suivre pour parler et écrire correctement une langue, c'est _____.

4 _____ exprime une action, un état et présente un système complexe de formes.

5 A _____, les élèves ont l'occasion de se détendre un peu.

6 Une des langues vivantes qu'on apprend dans cet établissement est _____.

7 C'est _____ qui présente les connaissances exigées par les programmes scolaires.

8 Ceux qui connaissent son système compliqué de formes sont capables de _____ le verbe.

9 Le commencement de la nouvelle année scolaire s'appelle _____.

10 L'élève écrit ses exercices dans son _____.

2 Lisez attentivement le texte avant d'aborder les exercices.

Requins et rémoras [2]

A la question: 'Aimeriez-vous être aidé dans votre travail scolaire par   1
un grand de quatrième ou de troisième?', le professeur recueille seize
réponses positives sur 24. En outre, dans une classe de troisième et
une classe de quatrième, 40 pour cent des élèves se déclarent
volontaires pour participer à l'expérience ...   5

Curieusement, ce ne sont pas les meilleurs élèves de quatrième ou de troisième qui ont été les plus enthousiastes. Ceux qui avaient des difficultés se sont montrés très motivés. Sans doute avaient-ils eux-mêmes rencontré en sixième des difficultés dont ils se souvenaient.

Les élèves rémoras ont très vite compris qu'ils pouvaient tirer   10
profit de l'expérience: beaucoup ont proposé une aide dans une discipline qui leur donnait à eux-mêmes du fil à retordre. Ainsi Martine a choisi d'aider en allemand 'pour réviser ses bases' et Nicolas en mathématiques 'pour refaire le programme de sixième'. Aux yeux des enseignants le bénéfice de cette forme de soutien était   15
aussi grand pour celui qui aide que pour celui qui est aidé. 'Un de mes élèves de troisième avait fait des progrès énormes en grammaire,' explique un professeur de français. 'Comme je le félicitais, il m'a répondu: "Bien obligé, à cause de mon requin".'

Tous les deux mois, les professeurs principaux de chaque classe,   20
qui sont chargés de suivre l'expérience, se réunissent avec le couple d'élèves pour faire le point.

Les rémoras ont beaucoup interrogé l'équipe enseignante, surtout au début: 'Comment faire pour qu'il apprenne mieux ses leçons? Comment faire pour améliorer son orthographe?'   25

Certains ont réclamé aux professeurs des exercices types, des indications de lecture ou des polycopiés; ou encore un coup de main pour la correction des devoirs. On interroge l'enseignant sur les progrès de son requin.

Les abandons (20 pour cent dans la première année) et les échecs ou   30
les redoublements des petits sont parfois mal vécus par les grands qui en ont la charge. Myriam, élève de troisième, a 'perdu' deux requins depuis le début de l'année. L'un pour cause de déménagement, l'autre 'parce qu'il préférait jouer au foot avec ses copains'.

L'activité requin-rémora a créé des réseaux de solidarité entre les   35
élèves du collège, ce qui a sensiblement amélioré l'atmosphère générale: les détériorations et les petits vols ont pratiquement disparu, les bagarres sont moins fréquentes dans les couloirs.

[texte adapté]

Christine Garin, *Sélection du Reader's Digest*

Vocabulaire

les bases (f pl) *grounding*
la bagarre *fight*
l'échec (m) *failure*
la détérioration *damage*
fil: du fil à retordre *problems, difficulties*
obligé: bien obligé ! *no alternative/choice!*
l'orthographe (f) *spelling*

point: faire le point *to take stock*
le polycopié *duplicated sheet*
réclamer *to ask for; call for, demand*
le redoublement *repeating a year*
le réseau *network*
sensiblement *noticeably*
type *typical*
vécu: mal vécu *taken badly*

A Répondez aux questions suivantes en français:

1 Qu'est-ce que la plupart des élèves de sixième pensent de cette idée?
2 Est-ce que les élèves de troisième et de quatrième sont aussi enthousiastes que les débutants?
3 Lesquels des grands se sont montrés les plus enthousiastes?
4 Comment Martine et Nicolas espéraient-ils tirer profit de cette expérience?
5 Qui, de l'avis des professeurs, tire bénéfice d'un tel projet?
6 Quand et comment est-ce que les professeurs suivant l'expérience faisaient-ils le point?
7 Qu'est-ce que les rémoras ont demandé aux professeurs, pour les aider dans ce travail?
8 Qu'est-ce qui montre que les rémoras prennent un vif intérêt aux progrès de leurs requins?
9 Dans quelles circonstances est-ce que les rémoras se sentent vraiment découragés?
10 Comment savez-vous que, par suite de l'expérience, les élèves du collège s'entendent mieux les uns avec les autres?

B ■ «. . . comment faire pour qu'il apprenne *mieux*? . . .» [adverbe]
■ «. . . ce ne sont pas les *meilleurs* élèves . . .» [adjectif]

Il est important de faire la distinction entre *'mieux'* et *'le mieux'* (comparatif et superlatif de *l'adverbe 'bien'*), et *'meilleur(e)(s)'* et *'le/la/les meilleur(e)(s)'* (comparatif et superlatif de *l'adjectif 'bon'*).

Complétez les phrases suivantes en insérant convenablement l'adjectif ou l'adverbe qu'il faut:

1 Philippe et Georges jouent bien, mais c'est Claude qui joue _____.
2 Il comprend _____ que les autres.
3 Cette idée est _____ que la mienne.
4 Il vaut _____ ne rien dire.
5 Il est de _____ humeur aujourd'hui.
6 Malheureusement nos _____ joueuses sont malades.
7 On dit que c'est le _____ hôtel de la ville.
8 Il va un peu _____ aujourd'hui.

■■ Deuxième partie

1 Le Futur et le conditionnel

Notes

1 Comparez les formes suivantes:

LE FUTUR *(shall, will ...)*	LE CONDITIONNEL *(should, would ...)*
je donnerai	je donnerais
tu finiras	tu finirais
on/il/elle écrira	on/il/elle écrirait
nous attendrons	nous attendrions
vous prendrez	vous prendriez
ils/elles suivront	ils/elles suivraient

Au futur et au conditionnel les terminaisons sont *toujours* précédées de la lettre 'r'.

Pour la plupart des verbes le radical *(stem)* est l'infinitif. Il y a, pourtant, certains verbes irréguliers *d'usage courant* qui font exception:

exemples

aller: j'irai/irais	faire: tu feras/ferais
être: il sera/serait	avoir: nous aurons/aurions
pouvoir: vous pourrez/pourriez	venir: ils viendront/viendraient

2 Dans les exemples suivants, les verbes soulignés seraient au présent, en anglais.

En français, pourtant, on les met *au futur*, puisque les faits sont situés dans l'avenir par rapport au présent:

    a Faites-moi savoir quand Paul *rentrera*. *(returns, gets home, etc.)*
    b Dès que nous *saurons* les résultats, je devrai mettre les parents au courant. *(know)*
    c Il s'en souviendra, tant qu'il *vivra*. *(lives)*

En discours indirect, on trouverait *le conditionnel*:

    a Il nous/m'a demandé de *lui* faire savoir quand Paul *rentrerait*. *(returned, got home)*
    b Il a dit que, dès qu'ils *sauraient* les résultats, il *devrait* mettre les parents au courant. *(knew)*
    c Il a dit qu'il s'en *souviendrait*, tant qu'il *vivrait*. *(lived)*

3 Quand il s'agit d'écrire une lettre pour faire une demande/réservation, pour obtenir des renseignements, le conditionnel joue un rôle important dans les expressions dont vous aurez besoin:

Je vous *serais* (très) reconnaissant(e)/obligé(e) de bien vouloir me faire savoir . . .
Nous *souhaiterions* retenir une chambre/un emplacement . . .
Pourriez-vous m'envoyer/me faire parvenir . . .
. . . dans le cas/au cas où + conditionnel . . .
Je *voudrais*/J'*aimerais* savoir si . . .
Je *serais* intéressé(e) par l'idée de + inf . . .
Je *voudrais* vous remercier (tous deux) pour . . .
Je *voudrais* vous transmettre (à tous deux) nos meilleurs vœux pour . . .

4 Propositions conditionnelles ('If' clauses)

Notez bien la concordance des temps dans les exemples suivants:

    a Si le principal *donne* [présent] son approbation à l'expérience, on la *mettra* [futur] en route. *(will go ahead with it)*
    b Si le principal *donnait* [imparfait] son approbation à l'expérience, on la *mettrait* [conditionnel] en route. *(would go ahead with it)*

A Sans recopier les phrases, mettez les verbes entre parenthèses au temps convenable (futur ou conditionnel):

exemples

1 J'espère que tu (pouvoir) nous rendre visite cet été.

2 Elles se demandaient s'ils (revenir) le lendemain.

réponses

1 ... pourras ...

2 ... reviendraient ...

1 Appelle-nous quand tu (avoir) de ses nouvelles.

2 Si j'étais collé à cet examen, je (devoir) le repasser en septembre.

3 Si elle réussit son brevet, elle (être) en seconde à la rentrée.

4 Quand je leur (dire) ce soir ce qui s'est passé, mes parents (se plaindre) auprès du principal.

5 Elle leur a donné son numéro de téléphone, au cas où il y (avoir) une annulation.

6 Il a dit que, quand il (voir) le directeur le lendemain, il (faire) mention de cet incident.

7 A votre place, je (suivre) une filière scientifique.

8 S'il choisit cette filière, il lui (falloir) réviser ses bases en chimie.

B Utilisez convenablement les expressions d'usage que vous trouverez dans les notes pour formuler les demandes et les vœux suivants:

exemple obligé(e) – bien vouloir – renseignements – région – activités – proposées à – été.

réponse POSSIBLE Je vous serais très *obligé(e)* de *bien vouloir* m'envoyer des *renseignements* sur la *région* et les *activités proposées aux* touristes pendant l'*été.*

1 Nous – vouloir transmettre – tes parents – meilleurs vœux – Noël – nouvel an.

2 Je – savoir si – possible – réserver – chambre – premier étage – avec vue sur –

3 Je – écrire de la part de – qui – vouloir passer – à votre établissement – juillet prochain. – vous – faire connaître – tarifs?

4 Au cas où tous les emplacements – déjà réservés, y a-t-il – autre camping – les environs que vous – nous recommander?

5 Je – vouloir bien poser – candidature au poste d'ingénieur
   informaticien et – reconnaissant – bien vouloir – un formulaire de
   candidature.

C Faisant bien attention à la concordance des temps, complétez
comme vous voudrez les phrases suivantes:

exemple Si, pendant ton séjour, tu avais envie d'explorer la
région, _____.

réponse POSSIBLE Si, pendant ton séjour, tu avais envie d'explorer la
région, *nous pourrions faire des randonnées à vélo.*

1 Si j'avais plus de loisirs, _____.
2 Si je suis reçu(e) à mes examens, _____.
3 Si mes parents étaient d'accord, _____.
4 Si _____, je pourrais me perfectionner en français.
5 Si _____, je n'hésiterais pas à l'accepter.

2 Les Pronoms relatifs

qui [sujet] *(who, that, which)*
que (qu') [objet direct] *(whom, that, which)*
dont *(of whom/which)*

Ces pronoms, représentant un nom, commencent la proposition
(clause) relative:

- «. . . des verbes pour Jérôme» (*qui* est faible en français)
- «. . . il s'accroche au ventre des requins et des baleines» (*qu'*il
  guide dans leurs déplacements)
- «. . . précieuses pour les enfants» (*dont* les parents sont peu
  disponibles)

Il est évident que les trois propositions entre parenthèses servent, en
quelque sorte, d'adjectifs, puisqu'elles fournissent des détails, des
renseignements concernant Jérôme, les requins et les baleines, les enfants.

Comparez: les élèves   QUI travaillent bien
                       QUE le professeur gronde régulièrement
                       DONT le travail est bon
                       DONT je corrige le travail

Notes

1 Il est possible, en anglais, d'omettre le pronom QUE (QU'):

the textbook he has just bought

the teachers you respect

the revision he is doing

En français, le pronom QUE (QU') est toujours là:

le manuel QU'il vient d'acheter

les professeurs QUE vous respectez

les révisions QU'il est en train de faire

2 N'oubliez pas que DONT absorbe toujours la préposition DE *(dans tous ses sens)*:

se servir DE → les méthodes DONT elle se sert   *(she uses)*

avoir besoin DE → les livres DONT ils ont besoin   *(they need)*

se souvenir DE → le vocabulaire DONT il se souvient   *(he remembers)*

responsable DE → la classe DONT il est responsable   *(for which . . .)*

se plaindre DE → l'orthographe DONT elle se plaint   *(about which . . .)*

DE cette façon/manière → Je n'aime pas la façon/manière DONT il se comporte.   *(the way in which . . .)*

NB Le participe passé s'accorde, comme un adjectif, avec un objet direct *précédant* le verbe: choisir des *disciplines* [objet direct]; photocopier les *exercices* [objet direct]

A Faites une liste des pronoms relatifs qui manquent dans les phrases suivants:

   1 Ceux _____ participent à cette expérience se réunissent une fois par semaine dans les salles de classe.

   2 Ils travaillent dans des disciplines _____ ils ont chois*ies* eux-mêmes.

   3 Ce sont les professeurs qui préparent les exercices _____ les 'requins' ont besoin.

   4 Le débutant _____ prend du retard, apprend les formes verbales _____ il devra se servir par la suite.

   5 Ce projet donne à certains élèves de troisième _____ les connaissances en maths sont insuffisantes, l'occasion de réviser leurs bases.

   6 Les enseignants approuvent l'application _____ la plupart des participants font preuve.

7 Les exercices _____ elle a photocopiés[1] seront difficiles à faire.
8 La façon _____ les élèves entreprennent ce travail, impressionnent les professeurs _____ suivent le projet.

B Afin d'éviter des répétitions peu nécessaires, employez une proposition relative (qui, que, dont) pour relier les deux phrases:

exemple   Il corrigeait la rédaction. On venait de lui remettre la rédaction.

réponse   Il corrigeait la rédaction *qu'on* venait de lui remettre.

1 Il venait de recevoir comme cadeau un nouveau vélo. Il était très fier de ce vélo.
2 La perspective des examens ne le réjouissait pas. Il passerait les examens le lendemain.
3 Le surveillant a mis fin à la bagarre. Le surveillant se promenait dans la cour.
4 Il a choisi de s'asseoir à côté de Michel. Il espérait copier les réponses de Michel.
5 Il ne pouvait s'empêcher de remarquer les progrès en maths. Les élèves avaient accompli ces progrès au cours du trimestre.
6 Les petits vols ont pratiquement disparu. Ces vols avaient souvent lieu auparavant.
7 Les deux 'requins' se tenaient devant le tableau noir. Nous avions promis d'aider ces requins.
8 Il a trouvé chez le libraire un exemplaire d'occasion du livre. Le professeur d'histoire avait fait mention de ce livre la veille.

3 Traduisez en anglais les trois dernières paragraphes de 'Requins et rémoras [2]' à la page 32 depuis 'Certains ont réclamé ...' jusqu'a '... moins fréquentes dans les couloirs.'

4 Traduisez en français le passage suivant:

The previous day the English[1] master had promised to give his third form[2] pupils a written test, and André, whose marks were usually low, was having trouble translating into French the last paragraph. 'How does one say "timetable" in French?' he asked himself. He glanced through the window at the church clock. They had ten minutes left[3].

What could[4] he say in self-defence when his parents read the end-of-term report? Marie was one of the best senior[5] pupils and they were constantly reminding[6] him of the diligence of his elder sister.

'I shall have to spend less time at the sports centre,' he sighed.

1 'anglais' ou 'd'anglais'?	4 imparfait ou conditionnel?
2 de quatrième	5 des grandes classes
3 comparer: Il lui reste deux francs.	6 comparer: Nous leur avons rappelé leur promesse.

Vocabulaire utile

l'interrogation écrite   avoir du mal à + inf   jeter un coup d'œil
l'horloge (f)   pour sa défense   le bulletin trimestriel   l'application (f)
soupirer

5 Parlez de vos impressions de l'expérience 'requins et rémoras'.

A Dressez une liste des avantages de cette 'aide supplémentaire', tels que vous les voyez, pour les élèves et pour le collège.

B Est-ce que vous voudriez participer, comme 'requin' ou 'rémora', à une telle expérience? Donnez vos raisons.

C Y a-t-il, à votre avis, des désavantages ou des problèmes à surmonter tout d'abord?

Chapitre 4

Médecin de campagne en banlieue

■■ Première partie

1   Lisez attentivement le texte suivant avant d'aborder les exercices.

Médecin de campagne en banlieue [1]

La jeune femme a appuyé sur la sonnette et poussé délicatement la   1
porte. Le regard inquiet, elle a fait deux pas dans le couloir, puis s'est
immobilisée. 'Le cabinet du docteur Ménard?' En face d'elle, la
moustache de l'homme s'est froncée. 'Docteur? Ici? Sûrement pas.
Vous voyez bien que c'est un appartement!' La femme a semblé   5
hésiter un instant. Puis elle a repris sa respiration. 'Vous êtes sûre
que . . . ?' L'éclat de rire ne lui a pas laissé le temps de terminer.
L'homme lui a posé la main sur l'épaule. 'J'ai pas une tête de docteur,
et ça ressemble pas à un cabinet, mais si vous allez vous asseoir,
j'essaierai quand même de faire quelque chose pour vous.' La femme a   10
avancé d'un mètre, découvert un couple et deux enfants dans la salle
d'attente et a enfin osé son premier sourire.

   Seize ans que cela dure. Seize ans, depuis que Didier Ménard s'est
installé comme 'médecin généraliste' dans une tour de la cité du
Franc-Moisin à Saint-Denis (Seine Saint-Denis), et l'atmosphère n'a pas   15
changé: le même appartement standard, avec porte blindée, chauffage
central, vue sur le parking. La même plaque marron ébréchée à côté
de l'interphone, signalant les 'Docteurs Paknadel et Ménard' et
indiquant les horaires de leurs consultations . . .

   Didier Ménard venait de finir ses études. Fils d'ouvriers élevé dans   20
les cités de Puteaux (Hauts-de-Seine), il s'était juré de retourner en
banlieue, une fois prêté le serment d'Hippocrate. Aussi, lorsqu'un ami
l'a informé qu'au Franc-Moisin, sur les ruines du principal bidonville de
la banlieue nord de Paris, un collègue cherchait quelqu'un pour

s'associer, il a immédiatement tenté sa chance. 'Je m'étais toujours dit 25
que je ne pratiquerais pas la médecine qu'on nous enseignait,' se
souvient-il. 'Que je n'allais pas soigner une grippe ou une tuberculose,
mais des personnes, avec leur dimension psychologique et sociale. Et
là, quelqu'un partageant mes convictions me proposait de travailler
avec lui.' Trois jours plus tard, le docteur Ménard recevait son 30
premier patient et devenait, tout comme son confrère, 'médecin de
campagne au Franc-Moison'.

Il prononce l'expression les yeux brillants, avec une fierté
non dissimulée. Comme si, en quelques mots, il avait su tout résumer.
Son propre caractère, joyeux, un brin provocateur. Mais surtout 35
cette pratique qu'il continue chaque jour de construire. 'Être médecin,
c'est s'adapter au public que l'on soigne, et pas l'inverse. Prendre le
temps d'écouter. Accompagner un patient de la naissance à la mort.'
Et voir défiler, quotidiennement, ces petits maux de rien du tout,
souvent plus significatifs que sérieux, ou ces drames, implacables, 40
révoltants.

[à suivre]

Vocabulaire

s'appuyer sur *to press (here); to lean on*

blindé: porte blindée *security door*

le bidonville *shanty town*

brin: un brin *a touch/trifle*

le cabinet *surgery (here); practice*

la cité *housing estate (here)*

le confrère *colleague*

défiler *to go by*

ébréché *chipped*

se froncer *to twitch (here); to wrinkle*

le généraliste *general practitioner*

l'interphone (m) *entry phone*

oser *to venture (here); to dare*

la pratique *practical experience (here)*

respiration: reprendre sa respiration *to get one's breath back*

tête: une tête de *the look of*

la tour *high rise*

 A Répondez aux questions en français.

1 Où est-ce que la jeune femme a rencontré le docteur Ménard?
2 Expliquez la surprise de la jeune femme.
3 Qu'est-ce que le docteur lui a dit pour la mettre à son aise?
4 Où a-t-elle attendu son tour?
5 Depuis combien de temps est-il généraliste au Franc-Moisin?
6 Pourquoi est-ce que le docteur s'est adapté si vite à son milieu?

7 Pourquoi avait-il été content de s'associer avec le docteur Paknadel?

8 Qu'est-ce qui, à son avis, donne au médecin de campagne un avantage sur ses confrères urbains?

B Trouvez les mots dans le texte auxquels ces définitions correspondent et écrivez-les:

1 partie de la barbe qui pousse sur la lèvre supérieure
2 passage étroit et allongé donnant accès à plusieurs pièces
3 appareil avertisseur actionné par le courant électrique
4 pièce dans laquelle un médecin reçoit ses clients
5 grand bâtiment urbain à plusieurs étages destiné au logement
6 partie de maison composée de plusieurs pièces qui servent d'habitation
7 groupe d'immeubles formant une agglomération plus ou moins importante, souvent dans la banlieue d'une ville, et destiné au logement
8 tableau et répartition des heures de travail

2 Lisez attentivement le texte suivant avant d'aborder les exercices.

Médecin de campagne en banlieu [2]

'Monsieur Cuvier?' ... Au bout du téléphone, pas de réponse. Le docteur Ménard le sait pourtant: disparu depuis quatre ans, l'homme est rentré chez sa femme, la veille, avec un trou dans la gorge à la   1
suite d'une opération d'un cancer du larynx. Et les enfants sont seuls, car sa femme est aussi à l'hôpital.

Le médecin recommence. 'Monsieur Cuvier?' Une respiration traverse le téléphone, suivie de petits coups dans le combiné.   5
'Monsieur Cuvier, je sais que vous m'entendez. Est-ce que votre fille est là? Si oui, tapez deux fois dans l'appareil.' Rien ne se passe. 'Elle est allée voir sa mère?' Deux claquements résonnent dans l'écouteur. 'Bien,' poursuit le médecin, en souriant. 'Est-ce que, si je passe ce soir, elle sera là?' Toc, toc. 'Parfait. Et s'il y a une urgence, vous m'appelez   10
au cabinet et vous tapez trois fois, d'accord?' Toc, toc. Didier Ménard raccroche, le visage lumineux. Prêt pour la suite.

Assis sur une chaise de la salle d'attente, l'homme essaie de répondre aux questions que sa petite fille ne cesse de lui poser, mais s'interrompt parfois, le dos poignardé par la douleur. 'Tu vas faire 15 quoi?' s'inquiète la petite fille. 'Demander au médecin qu'il me fasse une piqûre.' 'Mais ça fait mal,' réplique-t-elle. 'Non, ça fait du bien au contraire,' parvient-il à sourire. 'Ça retire le sang,' grogne l'enfant. 'Tu confonds avec la prise de sang. La piqûre, on te donne quelque chose, et ça retire la douleur.' 'Et demain, tu vas rester à la maison?' 20 s'exclame-t-elle, radieuse. 'Non, je dois travailler ...'

L'attente est longue. Une heure. Le temps pour Didier Ménard de s'occuper d'une petite grippe infantile, mais surtout d'écouter la souffrance d'un jeune homme de vingt ans, tenaillé par l'angoisse depuis l'agression dont il a été victime dans un train de banlieue ... 25 Enfin vient leur tour. Le diagnostic est rapide: sciatique sur un dos déjà touché par une hernie discale. Mais le magasinier refuse l'arrêt de travail proposé par le médecin, de peur de perdre son emploi.

C'est midi. Douze personnes sont passées ce matin. Douze, dont un 'acte gratuit' et trois patients que l'aide médicale dispense d'avancer les 30 110 francs de la consultation. Un coup d'œil sur l'ordinateur, dont l'écran est toujours visible par les patients, et le médecin s'embarque pour les visites. Le secteur n'est pas bien étendu. Saint-Denis, parfois Aubervilliers ou La Courneuve. Mais guère plus. C'est qu'à elle seule la traversée de la cité, dans sa 205[1] blanche connue de tous, peut 35 facilement prendre vingt minutes. Ici, un gamin qui revient de l'hôpital. Là, une femme, appuyée sur sa béquille, qui lui conte ses malheurs: tous les 30 mètres, on appelle 'Didier', 'Monsieur' ou 'Docteur'. 'C'est comme un médecin de campagne, je vous dis,' s'amuse-t-il.

Pas de verdure, peu de fleurs, pour le généraliste du Franc-Moisin. 40 Mais des échanges qui, comme souvent chez le praticien des champs, dépassent l'objet initial de la visite ...

[texte adapté]
Le Monde

---

1 205: Peugeot

Vocabulaire

l'agression (f) *attack; mugging*

l'aide médicale *health care*

l'angoisse (f) *anxiety*

la béquille *crutch*

le combiné *receiver (phone)*

confondre *to confuse, mix up*

dépasser *to exceed*

la douleur *pain*

l'écouteur (m) *earpiece*

étendu *extensive*

grogner *to grumble, protest*

la hernie discale *slipped disc*

le magasinier *stock keeper; storeman*

parvenir à + inf *to manage to*

la piqûre *injection*

poignarder *to stab*

prise: la prise de sang *blood sample*

raccrocher *to put down the receiver; to
hang up*

tenaillé *racked, tortured*

A Relevez dans le texte les expressions françaises correspondant aux expressions anglaises ci-dessous:

he occasionally breaks off	sick leave
it is their turn at last	if it is urgent
with a smile	nothing happens
it does you good	familiar to everyone
ready for what follows	his face lighting up

B Exprimez en vos propres termes en français ce que vous entendez par les expressions suivantes:

1 Un coup d'œil sur l'ordinateur, ...   (ligne 31)

2 ... s'occuper d'une petite grippe infantile ...   (ligne 23)

3 Douze, dont un 'acte gratuit' ...   (lignes 29–30)

4 ... échanges qui dépassent l'objet initial de la visite   (lignes 41–2)

C Complétez les phrases suivantes en cherchant dans le texte les détails nécessaires pour donner le sens correct. Il faudra quelquefois changer la forme grammaticale des expressions et des mots trouvés.

exemple   Après avoir _____ les consultations, le docteur _____ sa voiture. Il s'agit maintenant de faire _____. En traversant la cité il _____ fréquemment pour _____ patients qu'il voit dans la rue et s'informer _____.

réponse POSSIBLE   Après avoir *fini* les consultations, le docteur *monte dans* sa voiture. Il s'agit maintenant de faire *les visites*. En traversant la cité il *s'arrête* fréquemment pour *dire bonjour aux* patients qu'il voit dans la rue et s'informer *de leur santé*.

1 Après une absence _____, monsieur Cuvier rejoint sa famille. Ayant été _____ cancer du larynx, il est incapable de parler et, pour communiquer avec le docteur, il lui faut _____. Le docteur parvient à lui faire comprendre qu'il _____ au cours de la soirée, quand _____ de monsieur Cuvier sera de retour.

2 Dans la salle d'attente le magasinier, _____ sa petite fille, attend son tour. _____ lui fait terriblement mal et il espère que le docteur lui _____ pour supprimer _____. Sa fille lui demande de _____ le lendemain, mais le magasinier se voit contraint de travailler: _____ de perdre son emploi.

D Servez-vous des adjectifs soulignés à gauche pour compléter les expressions à droite:

1 le regard <u>inquiet</u>   une expression _____
                     elles étaient _____ à mon sujet

2 son <u>premier</u> sourire la _____ question
                     les trois _____ pages

3 il était <u>fou</u>   elle était _____ de joie
                     un _____ espoir
                     ils sont _____

4 l'aide <u>médicale</u>   ses études _____
                     des soins _____

5 plus <u>significatifs</u>   des remarques _____
6 que <u>sérieux</u>   des conséquences _____
                     des garçons _____
                     une maladie _____

7 <u>ce jeune</u> homme   _____ _____ filles

■ ■ Deuxième partie

1 Les Verbes pronominaux

1 Lisez attentivement les exemples ci-dessous et notez bien la position du *pronom réfléchi* (me, te, se, nous, vous):

Infinitif

Au lieu de s'asseoir, il ...;   Si vous allez vous asseoir, ...

Infinitif passé

Après ᴍ'être lavé(e), je . . .

Impératif

Dépêche-ᴛᴏɪ!   Reposons-ɴᴏᴜs un peu!   Levez-ᴠᴏᴜs tout de suite!

Impératif négatif

Ne ᴠᴏᴜs dérangez pas pour nous!   Ne ᴛ'inquiète pas!

Présent

Il (ne) s'intéresse (pas) à la médecine.   (Ne) ᴛᴇ rappelles-tu (pas) son nom?

Temps composés

Je (ne) ᴍᴇ suis (pas) levé(e) à temps.   Elle (ne) s'était (pas) blessée.
Nous (ne) ɴᴏᴜs serions (pas) baigné(e)s par un temps pareil.   (*. . . would not have . . .*)

NB N'oubliez pas que tous les verbes pronominaux se conjuguent avec *être*!

2 Aux temps composés, le participe passé s'accorde avec le pronom réfléchi, *pourvu qu'il soit l'objet direct du verbe:*

       Elle s'est coup*ée*. [objet direct]

mais   Elle s'est coupé le *doigt*. [objet direct]

       Elle s'était demandé pourquoi. [objet indirect: demander *à* qn]

       Elles se sont fait *mal*. [objet direct]

       Ils se sont écrit souvent. [objet indirect: écrire *à* qn]

       'Peut-être,' s'est dit Sophie. [objet indirect: dire *à* qn]

A Écrivez les phrases ci-dessous en discours direct:

exemple   Je lui ai demandé si elle s'était bien amusée là-bas.
réponse   Je lui ai demandé: 'T'es-tu bien amusée là-bas?'

1 Il leur a dit de se dépêcher.
2 Mon père m'a demandé si je voulais me faire pharmacien.
3 Il nous a demandé pourquoi nous ne nous étions pas adressés à la concierge.
4 Le docteur a dit au patient d'aller s'asseoir dans la salle d'attente.
5 Il a dit à son collègue qu'il pourrait s'en occuper le lendemain matin.
6 Nous leur avons demandé combien de fois par semaine ils s'entraînaient.

7 Elle a dit, au téléphone, qu'elle ne s'était pas fait mal.

8 Elle a dit à son fils de se brosser les dents avant de se coucher.

B Complétez les phrases suivantes en insérant convenablement tous les pronoms réfléchis qui manquent:

exemple   Amuse bien en Bretagne! Amitiés, Guy.
réponse   Amuse-*toi* bien en Bretagne! Amitiés, Guy.

1 La brume dissipait et je suis mis à sourire en rendant compte que nous pourrions mettre en route presque tout de suite.

2 N'inquiétez pas! Je suis sûr qu'il débrouillera tout seul.

3 Est-ce que tu rappelles ce qui est passé après l'accident?

4 Nous approchions de la poste quand un cri aigu est fait entendre. En retournant j'ai aperçu une vieille dame qui appuyait contre un réverbère.

5 Après être débarrassés de nos bagages à la consigne, nous sommes assis près d'un kiosque où trouvaient un groupe de jeunes Allemands.

6 Si vous voulez servir de ces facilités de paiement, il faut adresser au caissier.

7 Ce soir-là il sentait trop fatigué pour rendre au club. Sa femme croyait qu'il surmenait.

C Refaites les phrases suivantes en remplaçant convenablement les expressions (et les verbes) soulignés par les verbes pronominaux ci-dessous:

exemple   Elle s'est fait mal en descendant de l'arbre. (se blesser)
réponse   Elle s'est blessée en descendant de l'arbre.

se dépêcher	s'efforcer de + inf	s'égarer
s'évanouir	se méfier de	se mettre à + inf
se mettre en route	se passer	se retourner
se taire		

1 Il leur demanda ce qui <u>était arrivé</u>.

2 Au passage du corbillard, les femmes qui faisaient leur marche <u>ont cessé de parler</u>.

3 On <u>ne faisait pas confiance</u> au nouveau médecin.

4 Enfin elle s'est rendu compte qu'elle <u>avait perdu son chemin</u>.

5 'Fais vite! J'entends la voix de ton père,' dit-il.

6 Il essayait de rester calme, malgré tout.

7 J'avais l'intention de partir de bonne heure.

8 En voyant du sang partout, elle a perdu connaissance.

9 Il avait fait demi-tour en entendant la sirène du bateau.

10 Ils ont commencé à soigner les accidentés.

2 Modèles à suivre

- «. . . Un fils d'ouvriers, *élevé* . . .» [= qui avait été élevé]
- «. . . dans sa 205 *connue* de tous» [= qui est connue de . . .]

A Le participe passé *d'un verbe transitif* peut s'employer sans auxiliaire et, comme un adjectif, s'accorder avec le nom auquel il se rapporte. En employant ainsi les participes passés, on donne à la phrase une certaine concision de forme.

Refaites les phrases suivantes en imitant les exemples ci-dessous:

exemple   *Sa santé l'angoissait de plus en plus et* elle a fini par consulter un spécialiste.

réponse   Angoissé*e* de plus en plus par sa santé, elle a fini par consulter un spécialiste.

1 Selon le porte-parole officiel le président qui a été opéré d'urgence hier soir ne court aucun danger.

2 On a dû hospitaliser le vieillard qu'un taxi avait renversé devant la gare.

3 L'augmentation des cotisations que le ministre a déjà approuvée entrera en vigueur le mois prochain.

4 D'habitude les examens médicaux que les patients subissent, aident le docteur à déterminer le traitement nécessaire.

5 Leur premier succès les avait encouragées et elles ont consenti à donner des concerts à Paris.

3 Traduisez en anglais les deux derniers paragraphes du deuxième texte à la page 44 depuis 'C'est midi.' jusqu'à '. . . l'objet initial de la visite.'

4 Traduisez en français le passage suivant:

C'est mon métier

The surgery door opened[1] and the doctor came into the waiting room, his expression serious[2]. He was wondering whether the retired chemist who had just left would have the strength to survive the operation, in view of the heart attack he had had in the spring. According to the specialist, they[3] had no choice but to operate on him.

He was feeling tired and depressed after a day on which[4] the problems created by his patients' illnesses and symptoms had begun to pile up disturbingly[5]. And it would not be possible to discuss them[6] with his partner, who had flu.

1 'ouvrir' ou 's'ouvrir'?	4 comparer: le matin où . . .
2 comparer: le regard inquiet	5 comparer: de façon inattendue *(unexpectedly)*
3 on	6 'les' ou 'en'?

Vocabulaire utile

retraité(e)   survivre à   étant donné   l'infarctus (m)
ne pas avoir d'autre choix que de   créer   le symptôme   s'entasser
discuter de

5 **A** Dites si, à votre avis, les phrases suivantes sur 'Médecin de campagne en banlieue' sont vraies ou fausses:

1 Le docteur s'intéresse autant aux dispositions psychologiques des patients qu'aux maladies dont ils sont touchés.
2 Le docteur est un homme doué d'une grande vitalité, qui inspire confiance chez ses patients.
3 Malgré son manque d'expérience, le docteur a de bonnes relations avec ses malades.
4 Le docteur est persuadé que ceux qui ont trop de soucis ont plus de chances de tomber malades.
5 Si le docteur avait le sens de l'humour, il s'entendrait mieux avec ses malades.
6 Le docteur rêve d'être un jour médecin de campagne.

B Écrivez 60–80 mots pour exprimer brièvement vos impressions du docteur Ménard.

Chapitre 5.
Motorisé

1 Lisez le texte qui suit, puis répondez en français aux questions.

On a volé la Serpollette

La préfecture vient de retrouver dans ses archives l'histoire du   1
premier vol de voiture.

Le vol de voiture est un exercice aussi ancien que la conduite
automobile. Et Léon Serpollet détient le triste privilège d'en être la
première victime. Ingénieur, il était en 1889, l'un des rares   5
propriétaires d'un véhicule à moteur dans le département de la Seine.
Il s'agissait d'un prototype, qu'il venait de construire avec l'aide d'un
certain Peugeot. Son nom: fort logiquement la Serpollette.

Un soir de juillet, après avoir fait le plein de coke, Léon Serpollet
va dîner chez des amis, boulevard Voltaire. Il traverse le XIᵉ   10
arrondissement et, sous les yeux plus ou moins rassurés des Parisiens,
s'arrête au pied de l'immeuble de ses hôtes. La soirée n'aurait pas fait
date si l'Histoire n'avait pas interrompu le repas; le concierge annonce
une incroyable nouvelle: on vient de voler l'automobile, partie en
zigzaguant vers la République[1]. Léon Serpollet se lance à sa poursuite,   15
à pied.

Soudain, l'auto fait demi-tour: l'inventeur arrive alors à l'arrêter. A
bord, il découvre trois noctambules, ivres et terrorisés, qui, contre
toute attente, le remercient. Passant sur le boulevard, ils avaient
remarqué ce curieux engin et n'avaient pu résister à la tentation de   20
s'installer sur les sièges. La mécanique s'était mise en branle, sous la
poussée de gamins des rues, sans doute curieux de voir rouler ce
chef-d'œuvre de modernisme. Léon Serpollet ne portera jamais

---

1 la République: la place de la République

plainte, jugeant que les voleurs s'étaient punis eux-mêmes en vivant la
grande peur de leur vie.   25

    Une mansuétude à laquelle renonceront les nombreux successeurs
de Léon Serpollet. En 1921, on recensait déjà 57 vols dans la capitale.
Un chiffre qui n'a cessé de croître, pour atteindre 18 460 en 1994.

Le Figaro

Vocabulaire

l'attente (f) *expectations (here); wait*

branle: se mettre en branle *to be set in motion*

croître (irreg. verb) *to grow*

détenir *to hold (record, etc.)*

le gamin *urchin*

ivre *drunk, intoxicated*

la mansuétude *indulgence*

le noctambule *night-time reveller*

plainte (f): porter plainte *to lodge a complaint*

la poussée *pushing, shoving*

recenser *to list, record*

A Répondez en français à ces questions sur le texte 'On a volé la Serpollette':

  1 Pourquoi les Parisiens de cette époque étaient-ils surpris de voir la Serpollette?

  2 Comment Monsieur Serpollet avait-il l'intention de passer cette soirée de juillet?

  3 Pourquoi le concierge a-t-il interrompu le repas?

4 Qu'est-ce que Monsieur Serpollet a fait pour mériter la reconnaissance des 'voleurs'?

5 Comment les gamins avaient-ils mis la mécanique en branle?

6 Pourquoi les 'voleurs' avaient-ils tellement peur?

B Quels sont les huit mots qui manquent dans les phrases suivantes. Il s'agit de trouver des mots appartenant à la même famille que ceux entre parenthèses à la fin de chaque phrase. Donnez-leur une forme grammaticale appropriée (verbe, substantif ou adjectif).

exemple   Monsieur Peugeot avait joué un rôle important dans la _____ de ce véhicule.   (construire)

réponse   construction

1 L'inventeur ne se _____ pas à apprendre qu'on avait volé la Serpollette.   (attente)

2 Les noctambules en _____ à peine leurs yeux. C'était un véhicule extraordinaire.   (incroyable)

3 Par pure _____ ils se sont installés sur les sièges de l'engin.   (curieux)

4 Comme Monsieur Serpollet _____ l'automobile le long de la rue, le noctambule qui la _____ a fait demi-tour.   (poursuite, conduite)

5 Ils avaient trouvé _____ la tentation de s'installer sur les sièges.   (résister)

6 Monsieur Serpollet a décidé de ne pas se _____ de la conduite des noctambules.   (plainte)

7 Le nombre des vols est en _____ constante.   (croître)

2   Sécurité routière

Lisez attentivement les textes suivants:

A   Des recherches menées dans quinze pays européens font apparaître que, malgré la baisse régulière du nombre de tués, de nombreux accidents graves sont provoqués par le comportement dangereux de certains automobilistes. L'alcool et la vitesse sont en cause, mais aussi un sentiment d'invulnérabilité et, chez certains

1

5

jeunes de milieux défavorisés, le fantasme d'un meilleur statut social.

Le profil-type du conducteur européen le plus prudent est connu. Il s'agit d'une femme, plutôt âgée, appartenant à un groupe socio-économique assez modeste, parcourant un kilométrage annuel peu élevé et conduisant une voiture de petite cylindrée. Autant le dire, cet automobiliste vertueux est minoritaire: il ne représente pas plus de 27 pour cent des usagers de la route ... 10

Selon ces recherches, on peut considérer qu'un quart des conducteurs du Vieux Continent ne sont pas loin d'être des dangers publics ... 15

Le Monde

Vocabulaire

apparaître: faire apparaître *to reveal*   la baisse *drop, fall*
autant le dire *it has to be said*   le fantasme *fantasy*

B 'Stop' grillé, déboîtement sans précautions préalables, ignorance 1 totale du rétroviseur: telles sont les fautes graves de conduite, imputables ni au réseau routier ni à la vitesse, que commettent les automobilistes français ...

La monotonie engendrée par un parcours trop souvent emprunté 5 ou par une vitesse constante est source d'inattention et donc cause d'accident. Par conséquent, la prudence consiste à rouler vite lorsque la route et le temps le permettent, rouler très doucement en agglomération et savoir s'arrêter pour se détendre ...

L'influence de la fatigue au volant est capitale. Cette fatigue est   10
moins fonction des kilomètres parcourus que du temps passé en
voiture.

Valeurs actuelles

Vocabulaire

l'agglomération (f) *built-up area*

capital *fundamental; vital*

le déboîtement *pulling out*

se détendre *to relax*

griller *to go through (red light)*

imputable *attributable*

le parcours (emprunté) *the route (taken)*

le réseau(x) *network*

le rétroviseur *driving mirror*

C Après un samedi classé 'rouge' en province par Bison Futé[1], la   1
journée du dimanche 28 juillet devrait être une journée plus favorable.
Les retours devraient être moins nombreux et plus étalés que les
départs, mais il est recommandé de rentrer avant dix-sept heures vers
les agglomérations et de quitter les côtes avant dix-sept ou dix-huit   5
heures. Les retours des juillettistes et les départs des aoûtiens se
répartissent sur deux week-ends puisque le premier tombe un jeudi.
Reste que la période la plus meurtrière de l'année n'est pas la
Toussaint mais bien les pointes de circulation liées à la période
estivale. La Sécurité routière, qui note que le temps plus lourd, et   10
même orageux sur le Sud-Ouest, voire le Massif Central et le Sud-Est,
ne facilite pas de longs trajets en voiture, rappelle que 'repos et
détente toutes les deux heures sont indispensables'.

Le Monde

[1] television and radio traffic monitoring service

Vocabulaire

l'aoûtien-ne *August holidaymaker*

étaler *to spread (out)*

le/la juillettiste *July holidaymaker*

meurtrier-ère *murderous*

la pointe *peak period*

se répartir *to be split up*

voire *and/or even*

le trajet *journey*

A Relevez dans les extraits que vous venez de lire les expressions et les mots français qui correspondent à ceux qui suivent:

to drive slowly	the steady decrease
a car with a small engine	the fact remains that
in the minority	a low mileage
the road system	every couple of hours

B Complétez les phrases suivantes:

exemple Un temps lourd ou _____ rend _____ trajets _____ difficiles. (Texte C)

réponse POSSIBLE Un temps lourd ou même orageux rend les longs trajets en voiture plus difficiles.

1 Ceux qui _____ même _____ trop souvent ou _____ obligés de maintenir _____ constante, conduisent _____ attentivement et pourraient _____ (Texte B)

2 En milieu urbain _____ prudent _____ doucement; par contre _____ route_____ dégagé_____ on peut_____. (Texte B)

3 Selon Bison Futé il devrait y avoir _____ problèmes sur _____ ce dimanche, et il rappelle aux conducteurs de _____ et _____ toutes les deux heures. (Texte C)

4 D'après les statistiques il y a _____ la saison/période _____ graves ou mortels qu'à _____. (Texte C)

C Sans recopier le texte suivant, faites une liste des quinze mots qui manquent. Utilisez *quinze* des vingt mots ci-dessous:

en-voiture	que	plus	terrorisent
Latins	faut	peu	beaucoup
retardataires	Anglais	savoir	particulier
dans	leur	prouver	lui
depuis	France	dérangé	sens

La France au volant

Il [1] _____ se méfier des Français en général, mais sur la route en [2] _____ .

   Pour un Anglais qui arrive en France, il est indispensable de

[3] _____ d'abord qu'il existe deux sortes de Français: les à-pied et les

[4] _____. Les à-pied exècrent les en-voiture, et les en-voiture

[5] _____ les à-pied, les premiers passant instantanément dans le camp

des seconds si on [6] _____ met un volant entre les mains. (Il en est

ainsi au théâtre avec les [7] _____ qui, après avoir [8] _____

douze personnes pour s'asseoir, sont les premiers à protester contre ceux

qui ont le toupet d'arriver [9] _____ tard.)

   Les Anglais conduisent plutôt mal, mais prudemment. Les Français

conduisent plutôt bien, mais follement. La proportion des accidents est à

[10] _____ près le même dans les deux pays. Mais je me

[11] _____ plus tranquille avec des gens qui font mal des choses bien

qu'avec ceux qui font bien de mauvaises choses.

   Les Anglais (et les Américains) sont [12] _____ longtemps

convaincus que la voiture va moins vite [13] _____ l'avion. Les Français

(et la plupart des [14] _____) semblent encore vouloir

[15] _____ le contraire.

Pierre Daninos, Les Carnets du Major Thompson

■ ▌ Deuxième partie

1 Le Participe présent

Exemples tirés des textes que vous venez de lire:

- «l'automobile, partie en *zigzaguant* …» [locution adverbiale: la manière dont elle est partie]
- «León Serpollet … , *jugeant* que les voleurs s'étaient punis eux-mêmes …» [= parce qu'il jugeait que les voleurs …]
- «*Passant* sur le boulevard, ils avaient remarqué …» [= Comme ils passaient sur le boulevard, ils …]
- «… une femme, plutôt âgée, appartenant à … , *parcourant* un kilométrage … , *conduisant* une voiture …» [= qui appartient à … , qui parcourt … , qui conduit …]

Les emplois du participe présent sont variés et il est possible, en s'en servant, de donner à la phrase une certaine concision de forme.
N'oubliez pas que 'en' est la seule préposition à être suivie du participe présent.

Pour former le participe présent du verbe, il s'agit de remplacer la terminaison -ONS du présent par -ANT.

exemples

faire: nous faisONS → faisANT

conduire: nous conduisons → conduisANT

NB Trois exceptions: ayant (avoir); étant (être); sachant (savoir)

Le participe présent s'emploie souvent précédé de la préposition 'en':

En arrivant au carrefour, il a dû s'arrêter pour laisser la priorité a un car bondé de touristes. (*On reaching*/When he reached . . .)

En prenant le virage, il a dû freiner abruptement: un troupeau de moutons bloquait la route. (*While negotiating*/As he took . . .)

En se servant de ses rétroviseurs de côté, il court moins de risques sur l'autoroute. (*By using* his wing mirrors . . .)

A Sans recopier les phrases suivantes, dressez une liste des participes présents qui manquent, en utilisant convenablement les verbes ci-dessous:

atteindre	avoir	choisir	être	lire
prendre	savoir	sentir	suivre	voir

1 Se _____ épuisé après six heures au volant, il dut se reposer un peu.

2 _____ qu'il y avait un embouteillage un peu plus loin, il prit la petite rue à droite.

3 _____ conduit avec une prudence exemplaire, il croyait mériter son permis de conduire. L'examinateur ne lui a donné que le code.

4 La circulation _____ plus intense que d'habitude, il ne rentra pas avant minuit.

5 Il doubla la voiture de police, en _____ garde de ne pas dépasser la limitation de vitesse.

6 Il appuya sur l'accélérateur, ne _____ pas qu'il approchait d'un tournant dangereux.

7 En _____ plus attentivement sa carte de la région, il se rendit compte qu'il lui restait encore une heure de route.

8 Peut-être qu'il éviterait les bouchons retardataires en _____ la route verte.

9 En _____ la banlieue lyonnaise, il s'arrêta pour demander son chemin et, _____ les directions qu'on lui avait données, il trouva facilement le palais du Commerce.

B Refaites les phrases suivantes en remplaçant la subordonnée soulignée par une proposition qui comprend un participe présent:

exemple   Comme je ne savais que faire d'autre, j'ai appelé police secours.

réponse   Ne sachant que faire d'autre, j'ai appelé police secours.

1 Quand il lira ma lettre, je crois qu'il sera très déçu.
2 Quand elle entendit la voix de son mari, l'accidentée rouvrit les yeux.
3 Le gendarme, qui me regardait d'un œil méfiant, a demandé à voir mon permis.
4 Comme je ne pouvais pas trouver mes clefs, j'ai dû m'y rendre à pied.
5 Il a cherché une place pour la voiture, comme il descendait lentement la rue principale.
6 Il a enfin réussi à dépasser le tracteur et il a pu rattraper le temps perdu.
7 Puisqu'il ne connaît pas la région, il a fait plusieurs excursions dans les alentours.
8 Il se fatigue moins vite au volant, s'il fait une pause toutes les deux heures.

C Complétez comme vous voudrez les phrases suivantes:

exemple   Elle s'est coupé le doigt en . . .

réponse *POSSIBLE*   Elle s'est coupé le doigt en ouvrant la boîte de sardines.

1 En _____, il est devenu pâle comme la mort.
2 En _____, elle a rougi de plaisir.
3 N'ayant plus d'argent, ils _____.
4 En répondant correctement à toutes les questions, elle _____.
5 En _____, il a éclaté de rire.
6 En arrivant _____, ils ont été très contents de trouver que

_____.

7 Ne voulant pas se coucher si tôt, ils _____.
8 En _____, il s'est mis à courir.
9 En _____, il a alerté les pompiers.

2   Comparatif et superlatif

Les textes fournissent de nombreux exemples et du comparatif et du superlatif:

Le comparatif
- «Le vol de la voiture est un exercice *aussi* ancien *que* la conduite automobile.»

Le superlatif
- «la période *la plus* meurtrière»
- «le conducteur européen *le plus* prudent»

Notes
1   Il faut d'habitude employer les adverbes PLUS, MOINS, AUSSI pour exprimer le comparatif:

a   ADJECTIFS:
Il est PLUS âgé QUE Michel. *(older than)*
Elle est MOINS intelligente QUE sa sœur. *(not as clever as)*
Ils sont AUSSI enthousiastes QUE nous. *(as keen as)*
Elles ne sont pas (AUS)SI négligentes QUE leur frère. *(not as careless as)*

b   ADVERBES:
Nous y allons PLUS souvent QU'eux.
Il conduit MOINS prudemment QUE sa femme.
Ils ont joué tout AUSSI bien QUE leurs adversaires.
Elle ne travaille pas (AUS)SI dur QUE sa cousine.

2   En comparant les quantités, on emploie PLUS DE, MOINS DE et AUTANT DE:

J'ai   PLUS DE / MOINS DE / AUTANT DE   temps libre QUE lui.

3   Pour former le superlatif, on emploi le comparatif PLUS, si l'adjectif précède le nom:
les PLUS beaux tableaux *(finest)*
sa PLUS jolie robe *(prettiest)*
leur PLUS vieil ami *(oldest)*

Si pourtant l'adjectif suit le nom, il faut toujours employer LE / LA / LES PLUS:
le problème LE PLUS difficile *(most difficult)*

la situation LA PLUS grave (*most serious*)

mes souvenirs LES PLUS lointains (*earliest*)

4 Quant aux adverbes, ils sont toujours précédés des mots LE PLUS. Comparer:

Marie est la plus belle. [adjectif]

Marie court LE plus vite. [adverbe]

Ce sont elles qui travaillent LE plus dur. [adverbe]

5 N'oubliez pas qu'on emploie DE en français là où, après un superlatif, on trouverait en anglais la préposition *IN*:

le plus haut bâtiment DE la ville

le meilleur élève DE la classe

un des plus grands ports DU monde

6 Exceptions:

adjectif	comparatif	superlatif
bon	meilleur(e)	le meilleur
		la meilleure
mauvais	{ plus mauvais	{ le plus mauvais
	{ pire (*worse*)	{ le pire (*worst*)
petit	{ plus petit	{ le plus petit
	{ moindre	{ le moindre

adverbe	comparatif	superlatif
bien	mieux	le mieux
mal	pis/pire	le pis/pire
peu	moins	le moins

Ne confondez pas 'bon' avec 'bien' (Voir Ch. 3, ex. 2B, à la page 33).

'Pire, le pire' et 'moindre, le moindre' s'emploient normalement au sens abstrait:

sa maison est plus petite que la nôtre [sens concret]

sans la moindre hésitation [sens abstrait]

le plus mauvais restaurant du quartier [sens concret]

la pire solution [sens abstrait]

Au cours de vos lectures, notez bien les circonstances dans lesquelles on emploie ces adjectifs et ces adverbes.

A Complétez les phrases suivantes en insérant convenablement les adjectifs ou les adverbes entre parenthèses après les avoir mis au superlatif.

exemple   Ce ne sont pas toujours les automobilistes qui échappent aux accidents.   (prudent)
réponse   Ce ne sont pas toujours les automobilistes *les plus prudents* qui échappent aux accidents.

1   En faisant du jardinage il portait son pullover.   (vieux)
2   C'est une des voitures françaises.   (bon)
3   Malheureusement Marianne est une de nos élèves.   (paresseux)
4   J'aime le potage aux champignons.   (bien)
5   C'est un des monuments de la capitale.   (beau)
6   Le conducteur est celui qui ne se sert jamais de son rétroviseur.   (dangereux)
7   Ce que j'aime, c'est conduire par temps brumeux.   (peu)
8   D'après les journaux ce serait un des accidents de l'été.   (mauvais)
9   Je n'eprouvais pas l'envie de sortir ce soir-là.   (petit)
10   On a commencé par transporter à l'hôpital les accidentés qui avaient été blessés.   (grièvement)

B Complétez les phrases suivantes en vous servant du vocabulaire fourni, *afin de faire une série de comparaisons*. Il faudra quelquefois changer la forme grammaticale des expressions et des mots donnés.

exemple   Le niveau de vie du Français moyen – élevé – celui des – cités ouvrières.
réponse *POSSIBLE*   Le niveau de vie du Français moyen *est plus* élevé *que* celui des *habitants des* cités ouvrières.

1   Un automobiliste fatigué a – chances d'être impliqué – accident – automobiliste vigilant.
2   Dans les – vingt il y avait beaucoup – vols de voitures – aujourd'hui.
3   En général les femmes conduisent tout – bien – hommes et – d'entre elles se montrent – prudentes.
4   Pendant – des vacances les routes – toujours – encombrées – habitude.
5   On court – risques en empruntant – départementaux parce qu'ils sont – éclairés – grand-routes.

6 – habitués – conduite – parents, les jeunes, qui manquent
d'expérience, – vulnérables au volant.

7 Les jeunes Français – grands ensembles sont – désavantagés
puisqu'ils se déplacent avec – facilité – autres.

8 En ce qui concerne la sécurite routière, la voiture moderne est
incontestablement – équipée: on freine de façon – efficace, son
champ de vision est – et ses – adhèrent – à la route.

3 Traduisez en anglais le texte A aux pages 53–4 depuis 'Des recherches
menées' jusqu'à '... des dangers publics.'

4 Traduisez en français le passage suivant:

The frightening suddenness of the accident had shaken him: he had a
dreadful headache and his heart was beating much faster than usual.
He had seen everything in his driving mirror: the sports car skidding
towards the ditch, the lorry braking sharply, the violent impact. Both
passengers in the car were dead and the driver of the lorry was under
sedation at the nearest hospital.

Later in the day[1], whilst taking his statement, the *gendarme* told him
that, in his opinion, the two foreigners would still be alive, if they had
been wearing their seatbelts. Of course, the driver ought not to have[2]
taken the bend so fast.

1 'jour' ou 'journée'?
2 'devrait' ou 'aurait dû'?

Vocabulaire utile

la soudaineté   secouer   affreux-se   déraper   le fossé   le choc
sous calmants   proche   la déclaration   en vie

5 Écrivez un paragraphe en réponse à chacune des questions
suivantes:

A Quel est, à votre avis, l'avenir de la voiture, étant donné que le
réseau routier n'est pas loin d'atteindre son point de saturation?

B Quel devrait être le rôle des transports en commun à l'avenir?

C Quelles sont les principales fautes de conduite que vous avez remarquées pendant vos trajets en auto?

D Pour réduire le nombre d'accidents on pourrait, par exemple, rendre l'examen du permis de conduire plus difficile, punir plus sévèrement les responsables ou construire davantage d'autoroutes. Que feriez-vous pour améliorer la sécurité routière?

Chapitre **6**
A la recherche d'un emploi

■■■ **Première partie**

1 Lisez attentivement le texte suivant, puis faites les deux exercices:

Tu ne seras pas pêcheur, mon fils!

Fils de marin-pêcheur et actuellement étudiant à Brest, Philippe est 1
confronté, en cette fin d'année scolaire, à des problèmes d'orientation
particulièrement préoccupants. Alors qu'il pourrait poursuivre le cours de ses
études, il est animé par une vocation indéfinissable qui le repousse
inexorablement vers le métier de ses pères: la pêche ... Quand on a 5
dix-neuf ans, n'est-on pas brusquement mis en demeure de choisir ou
d'orienter sa vie? ...

LE PÈRE: Tu étais fou, Philippe. Tu voulais tout lâcher!

LE FILS: Vouloir lâcher 'maths sups' n'est pas la fin du monde!
J'aurais passé l'examen de capitaine de pêche, ce n'est pas un 10
déshonneur!

LE PÈRE: Si tu avais été un élève très moyen, je me serais fait une raison.
Mieux vaut un pêcheur qu'un chômeur. Mais tu es bon élève!

LE FILS: Un coup à regretter d'avoir bien appris à l'école!

LE PÈRE: Cesse de dire des bêtises. Continue tes études le plus 15
longtemps possible. Mets plusieurs cordes à ton arc. Il faut être maso
pour se faire secouer sur les côtes d'Irlande, dormir trois heures par
nuit, affronter 50 nœuds, se faire tremper et voir les cours chuter
quand on rentre au port!

LE FILS: Mais tu as eu ton bateau. Tu as aimé ce métier! 20

LE PÈRE: Tu sais que tout a changé! Si tu prenais demain un bateau neuf,
tu en baverais dix fois plus que moi pour le payer! ... Ceux qui ont de
l'argent ne le placent pas à la pêche. La pêche est sinistrée ...

Il y eut de rudes débats dans la maison d'Audierne! Des engueulades avec
le père de retour de marée, des discussions interminables avec la mère 25
réputée plus patiente, des claquements de portes, de longs silences. Sans

doute quelques nuits blanches.

LE FILS: Si tu m'avais dit: 'Viens! Embarque!', je n'aurais pas hésité. Mais je n'ai pas eu ce choix.

LE PÈRE: Allons bon! Si tu as fini 'maths sups', c'est pour faire plaisir à   30
ton père!

LE FILS: C'est pour avoir la paix.

LE PÈRE: Et si tu as réussi ton concours pour entrer à l'Hydro de Nantes, l'école de la marine marchande, c'est aussi peut-être pour ton père.   35

LE FILS: Non. Cette fois c'est pour moi.

LE PÈRE: J'aime mieux cela. D'ailleurs tu vas t'y plaire. C'est une ambiance de marins.

LE FILS: Cinq ans d'études! Cinq ans, c'est effrayant alors que j'aurais pu partir tout de suite en mer! ...   40

LE PÈRE: Tu pourras y revenir dans cinq ans si tu y tiens! Mais tu ne seras pas comme moi. Toi, tu pourras faire pilote ou officier de port, inspecteur de la navigation, que sais-je encore ...

Philippe a parlé aux jeunes patrons pêcheurs de Douarnenez qui se sont endettés et se sentent pris au piège. Tous portaient témoignage que le mal   45 s'aggravait, qu'il fallait pêcher davantage, plus vite, plus loin, en prenant plus de risques, en réduisant l'équipage.

[texte adapté]
Le Monde

Vocabulaire

l'arc (m) *bow*

baver: en baver *to slog away*

blanche: la nuit blanche *sleepless*
   night

chuter *to tumble*

le concours *competitive exam;*
   competition

la corde *string (instrument); rope*

le cours *(market) price (here)*

demeure: mettre en demeure *to require*

l'engueulade (f) *row*

l'équipage (m) *crew*

lâcher *to drop, give up (here); to let go*

marchand: la marine marchande *merchant navy*

la marée *fishing trip; tide*

math(ématique)s sup(érieure)s *higher maths (as preparation for entry to one of the Grandes Écoles)*

maso = masochiste

le nœud *knot (unit of speed (here))*

l'orientation (f) *choice of career (here)*

raison: se faire une raison *to resign oneself*

sinistré *doomed*

tremper: se faire tremper *to get soaked through*

A Refaites les phrases suivantes en remplaçant les expressions et les mots soulignés par des mots et des expressions, ayant le même sens, que vous aurez trouvés dans le texte. Il faudra quelquefois changer leur forme grammaticale.

exemple   Je le ferai <u>aussitôt</u>.
réponse   Je le ferai <u>tout de suite</u>.

1 Il a passé plus d'une nuit <u>sans sommeil</u> à s'en inquiéter.
2 <u>En outre</u>, il faut considérer le sort des pêcheurs.
3 Il <u>est préférable d'</u>avoir un emploi.
4 Le repas qu'on avait préparé était <u>médiocre</u>.
5 Il l'a acheté exprès pour leur <u>plaire</u>.
6 Il <u>continue</u> ses recherches pendant ses loisirs.
7 Elle trouvait la question <u>inquiétante</u>.
8 Il raconte des histoires <u>à n'en plus finir</u>.
9 Voici une liste des candidats qui ont <u>été reçus aux</u> examens.
10 La situation <u>avait empiré</u> sensiblement.

B Complétez les phrases suivantes pour faire le résumé du texte ci-dessus:

1 L'année scolaire touche à sa fin. Philippe hésite entre poursuivre ses études et . . .
2 Son père aurait approuvé l'idée d'être pêcheur, si Philippe . . .
3 Son père fait remarquer qu'en continuant ses études, Philippe . . .
4 Il lui rappelle que ceux qui . . . , doivent subir de rudes épreuves en mer.

   5 Aujourd'hui, ceux qui ont de l'argent à placer, . . .

   6 Ayant pesé le pour et le contre, Philippe s'est décidé à . . .

   7 Philippe réussit ses examens et, après les vacances, il . . .

   8 Les jeunes patrons pêcheurs avec qui . . . envisagent avec
      pessimisme . . .

2 Il passe d'HEC à l'action humanitaire

Laurent, 28 ans, n'a eu qu'une semaine pour se décider à partir en   1
Géorgie avec *Action contre la faim*. L'humanitaire? Il y pensait depuis
longtemps: lors de son service militaire dans la coopération[1] à la
Martinique, il avait été bénévole pour *Médecins du Monde-Antilles*. Mais
entre-temps, une expérience de six mois dans un cabinet d'études   5
marketing et un poste à la direction financière de *TFI Film Productions*
l'avaient ramené à des perspectives plus classiques pour un jeune
diplômé d'HEC. Jusqu'au jour où, licencié à la suite d'une
restructuration interne, il s'est retrouvé au chômage.

'Au début, je me suis dit qu'il s'agissait d'un simple accident de   10
parcours,' raconte-t-il. 'Mais six mois plus tard, je n'avais toujours rien
trouvé.'

Laurent est exigeant. Il veut travailler dans un secteur qui le motive:
la culture, la communication. Certes, si une banque ou un cabinet
d'audit lui avaient proposé un poste, il aurait accepté, même avec des   15
pieds de plomb. Mais, même les débouchés traditionnels des diplômés
des Grandes Écoles[2] souffraient de la crise.

'Plus cette période de chômage devenait longue et traumatisée,
plus je ressentais la nécessité d'effectuer un véritable virage.'

Après, tout a été très vite. Les associations humanitaires n'ont   20
certes pas besoin de chômeurs en mal de reconversion. Mais Laurent
avait la compétence, l'expérience et la motivation nécessaires: après
une journée entière d'entretiens (sévères), *Action contre la faim* lui
offrait l'opportunité de partir comme administrateur-terrain en
Abkhazie, province séparatiste de Géorgie, au bord de la mer Noire.   25

'Dans ce type d'organisation, ça passe ou ça casse, mais on connaît
tout de suite la réponse,' explique-t-il. 'J'ai été un peu surpris; j'étais
habitué au ronron du chômage, aux réponses qui traînaient des semaines.
Et là, tout d'un coup, la balle était dans mon camp. J'ai beaucoup réfléchi,
mais psychologiquement j'avais déjà fait le virage: j'ai accepté.'   30

Sa mission? Outre un plan de réhabilitation des principaux

bâtiments de Soukoumi, la capitale détruite par les combats, il devait gérer un programme alimentaire destiné à la population abkhaze totalement isolée et soumise à un double blocus: russe au nord, géorgien au sud ...   35

L'expérience fut passionnante mais difficile: avec trois autres volontaires il a encadré durant un an une trentaine d'employés locaux qui avaient souvent vingt ans de plus que lui et des niveaux de formation élévés: ingénieurs, professeurs d'université ... Mais surtout, il a vécu au quotidien le contact, parfois pesant, avec une population   40 âgée, confrontée à une situation d'urgence et avide de réconfort psychologique.

De retour à Paris depuis février, Laurent se sent un peu déphasé. Mais c'est avec enthousiasme qu'il a signé un nouveau contrat avec *Action contre la faim.*   45

[extraits]
Le Figaro Magazine

1 working abroad instead of doing military service, a feature of the policy of giving economic and cultural aid to underdeveloped countries

2 les Grandes Écoles: colleges of university level with a professional bias, for example l'École Polytechnique, l'École Normale Supérieure, l'École des Mines, and many others, over 250 in all

Vocabulaire

l'action (f) *programme of aid*
les Antilles (f pl) *West Indies*
le/la bénévole *volunteer*
le cabinet *firm (here)*
le débouché *opening*
déphasé *out of step; disoriented (here)*
la direction *department (here); management*
encadrer *to supervise*
l'entretien (m) *interview; discussion*
exigeant *demanding, exacting*
la formation *training; education*
gérer(è) *to manage, run*
HEC (Hautes Études Commerciales) *major business school*

licencier *to make redundant*
mal: en mal de *in need of*
marketing: études (f pl) marketing *market research*
outre *in addition to*
le parcours *career (here)*
passe: ça passe ou ça casse *it is make or break*
pesant *burdensome, oppressive*
le plomb *lead*
le ronron *humdrum routine*
terrain *in the field (here)*
le virage *change of direction*

A Répondez en français aux questions suivantes sur le texte:

1 Pourquoi Laurent était-il allé à la Martinique?

2 Combien de temps a-t-il passé au chômage? Comment trouvait-il la vie pendant ce temps?

3 Quelle décision importante a-t-il prise?

4 En proposant ses services à l'*Action contre la faim*, de quoi avait-il sans doute fait mention dans la lettre de candidature?

5 Quels étaient les deux buts principaux de sa mission en Abkhazie?

6 Qu'est-ce qui montre que Laurent trouve ce travail très intéressant?

B Expliquez en vos propres termes en français ce que vous entendez par les expressions soulignées dans les extraits suivants:

1 ... il avait été bénévole pour *Médecins du-Monde-Antilles*. (ligne 4)

2 ... chômeurs en mal de reconversion ... (ligne 21)

3 ... tout d'un coup, la balle était dans mon camp. (ligne 29)

4 ... gérer un programme alimentaire ... (ligne 33)

C Relevez dans le texte les expressions françaises qui correspondent aux expressions anglaises ci-dessous:

it had long been in his thoughts	the tedium of unemployment
which took weeks to come	to have daily contact with
in the meantime	until the day when

D Faites une liste des vingt mots qui manquent dans l'extrait suivant du même article, en utilisant convenablement le vocabulaire ci-dessous:

vie	seule	épouse	assis
par	neigeait	cartes	camions
citadine	employait	siècles	plats
semaine	situé	volets	vendre
ciel	question	lui	faire

Patrick et Christiane

Patrick et Christiane, son [1] _____, ont été licenciés le même jour [2] _____ la société d'intérim qui les [3] _____ tous deux. Lui occupait un poste de direction générale; Christiane était responsable départementale de l'Aude.

Un soir, [4] _____ autour d'une table, ils ont fait la liste de ce qu'ils savaient [5] _____. Ils ont aussi réfléchi à la [6] _____ qu'ils souhaitaient mener. Plus [7] _____ de vivre comme par le passé, Patrick à Paris durant la [8] _____, Christiane restant [9] _____ à Narbonne, dans son appartement de fonction.

Christiane explique: 'Patrick avait deux passions: le bricolage et la cuisine. A la maison c'était toujours [10] _____ qui préparait les petits [11] _____ que les enfants adoraient.'

Un jour ils sont passés à Vignevieille, sympathique petit village [11] _____ dans le canton de Monthounet, le plus dépeuplé de France. L'auberge du village était à [12] _____. C'était au mois de février, il faisait froid, il [13] _____ même. Le bâtiment, vieux de plusieurs [14] _____, était en ruine, les plafonds tombaient, on voyait le [15] _____ par le toit. Ils l'ont achetée.

Oubliés les [16] _____ de crédit, téléphones portables et autres accessoires de la vie [17] _____. 'Le matin quand on ouvre les [18] _____, ce sont les oiseaux qui nous réveillent. Pas de voitures, de [19] _____, de parcmètres. C'est merveilleux,' confie Patrick.

[extraits]
Le Figaro Magazine

■❙ Deuxième partie

1 Le Futur antérieur et le conditionnel passé

Notes

1 Le Futur antérieur

J'aurai fini. *I shall/will have finished.*
Elle sera partie. *She will have left/gone.*
Ils se seront installés. *They will have moved in/settled.*

En parlant de l'avenir, on emploie toujours le futur antérieur là où, en anglais, on se sert du passé composé:

exemples

Dès qu'il aura lu *(has read)* son courrier, je ferai entrer les candidats.
Faites-moi savoir quand ils seront partis *(have gone/left)*.

2 Le Conditionnel passé

J'aurais refusé. *I should/would have refused.*
Elle serait restée. *She would have stayed.*
Nous nous serions excusé(e)s. *We would have apologized.*

On trouve dans les textes les exemples suivants de ce temps:

- «Si tu avais été un élève très moyen, je *me serais fait* une raison.»
- «Si tu m'avais dit: 'Viens!', je *n'aurais pas hésité.*»

3 Les Propositions conditionnelles

En ce qui concerne les propositions conditionnelles, il y a trois types
dont on se sert régulièrement:

a S'il me *propose* [present] cet emploi, je l'*accepterai* [futur].

b S'il me *proposait* [imparfait] cet emploi, je l'*accepterais*
[conditionnel].

c S'il m'*avait proposé* [plus-que-parfait] cet emploi, je l'*aurais
accepté* [conditionnel passé]. Consultez les notes à la page 000,
Ch. 3.

A Vous ne verrez dans les phrases suivantes qu'un seul des trois
types de propositions conditionnelles. Utilisant le même vocabulaire,
écrivez les deux autres types.

exemple Si tu as besoin de la voiture, je prendrai le train.
réponse
i Si tu *avais* besoin de la voiture, je *prendrais* le train.
ii Si tu *avais eu* besoin de la voiture, j'*aurais pris* le train.

1 S'il ne reçoit pas de réponse, il s'inscrira au chômage.
2 Si le patron était absent, elle s'occuperait des clients.
3 Si l'on m'embauche, je pourrai loger chez ma tante.
4 Si je n'étais pas admis, mes parents seraient très déçus.
5 Si l'on avait rejeté sa candidature, il aurait dû travailler comme
   intérimaire.

B Sans recopier les phrases suivantes, écrivez les verbes entre parenthèses à un temps convenable: futur, conditionnel, futur antérieur ou conditionnel passé:

exemple   Demain matin, quand les étudiants (voir) la liste des candidats admis, la plupart d'entre eux (être) très contents des correcteurs.

réponse   ... verront ... seront

1 Transmettez mes amitiés à vos parents quand vous leur (écrire).
2 Ai-je eu raison d'appeler le docteur? Que (faire) vous à ma place?
3 Ce soir, dès que je (dîner), nous (s'occuper) de la liste des candidats sélectionnés.
4 D'après *France-Soir* il y (avoir) une douzaine de morts, dont le chauffeur du car.
5 Il avait promis de nous rappeler le lendemain, quand il (étudier) le rapport de l'enquête.
6 Il n'y (avoir) pas de classes dimanche; faites ce que vous (vouloir).
7 Il a expliqué à l'heureux candidat qu'il ne (pouvoir) l'embaucher que quand il (consulter) ses collègues.
8 S'ils avaient su ce qui se passait, ils (s'inquiéter) encore plus.

2   Les Pronoms personnels (Objets directs et indirects)

Exemples pris dans les textes:

■ «Action contre la faim *lui* offrait l'opportunité de ...» *(to him)*
■ «ils *l'*ont achet*ée*» *(it (the inn))*
■ «ce sont les oiseaux qui *nous* réveillent» *(us)*

objets directs ou indirects	objets directs	objets indirects
me *(me, to me)*	le *(him, it)*	lui *(to him to her)*
te *(you, to you)*	la *(her, it)*	leur *(to them)*
nous *(us, to us)*	les *(them)*	
vous *(you, to you)*		

Notes

1 Ces pronoms se placent juste devant le verbe dont ils sont les objets directs ou indirects:

il (ne) *m'*écrit (plus)   il va *m'*écrire
je (ne) *les* achèterai (pas)   je voudrais *les* acheter
(ne) *te* plaît-il (pas)?   il devrait *te* plaire
ne *les* dérangez pas!   ne *m'*attends pas!

2 Aux temps composés, ces pronoms se placent juste devant l'auxiliaire 'avoir':
je (ne) *lui* ai (pas) donné l'adresse
il (ne) *nous* avait (pas) répondu

NB N'oubliez pas que le participe passé doit s'accorder avec un pronom qui est l'objet *direct*:
Je *les* ai vu*(e)s* au parc.   Il ne *m'*a pas embauché*(e)*.
Il ne *nous* aurait pas invité*(e)s*.   L'avez-vous trouvé*(e)*?

3 A l'impératif affirmatif le verbe précède le pronom:
Écoutez-le /*la*!   Attendez-*nous*!
Attends-*moi*!   Dites-*lui* /*leur* bonjour de ma part!

4 Au besoin, on peut utiliser deux des pronoms ci-dessus devant le verbe, *pourvu que l'objet direct soit 'le', 'la' ou 'les'*.
'Me', 'te', 'nous' et 'vous' précèdent 'le', 'la' et 'les', qui, à leur tour, précèdent 'lui' et 'leur':
Je (ne) *vous le* prêterai (pas).   Ne *nous les* rendez pas!
Nous *la leur* avons déjà prêtée.   Donne-*les lui* tout de suite!
Je ne peux pas *le lui* dire.   (*mais*: donnez-les-MOI!)

A Refaites les phrases suivantes en transposant les pronoms. Il faudra changer quelquefois la forme grammaticale d'autres mots dans les phrases:

exemple   Nous l'avons invité à passer ses vacances à Paris.   *(Il . . .)*
réponse   *Il* nous *a* invité*(e)s* à passer *nos* vacances à Paris.

   1 Elle m'a prié de m'asseoir.   *(Je . . .)*
   2 Je leur aurais défendu de se baigner.   *(Ils . . .)*
   3 Elle m'a dit qu'en me taisant je ferais plaisir à tout le
        monde.   *(Je . . .)*

4 S'ils l'avaient invitée à les accompagner, elle aurait refusé. *(Si elle . . .)*
5 En nous voyant, il s'est sauvé. *(En le . . .)*
6 Il va vous les offrir, n'est-ce pas? *(Vous . . .)*
7 Elle s'est glissée parmi leurs invités, sans qu'ils la remarquent. *(Ils . . .)*
8 J'aurais dû vous parler plus tôt de mes projets pour l'été. *(Vous . . .)*

B Refaites les phrases en remplaçant les expressions et les noms soulignés par les pronoms appropriés:

exemple Malheureusement il y a actuellement moins d'opportunités à offrir <u>à ces étudiants</u>.
réponse Malheureusement il y a actuellement moins d'opportunités à *leur* offrir.

1 Il a promis de m'envoyer <u>le formulaire de candidature</u> par retour du courrier.
2 Elle avait longuement étudié <u>les petites annonces</u> sans rien trouver.
3 Il n'était que trop content d'avoir décroché <u>cet emploi</u>.
4 Le professeur n'a pas hésité à envoyer <u>les références à son ancien élève</u>.
5 N'oubliez pas <u>la brochure</u>!
6 Rends <u>la balle à ta petite sœur</u> à l'instant!
7 Il nous a déjà présenté <u>l'œuvre de cet écrivain</u>.
8 C'est le chef du personnel qui a reçu <u>les candidats</u>.

C Mettez en discours direct:

exemple Il a dit aux candidats qu'il répondrait à leurs questions, quand il leur aurait expliqué les fonctions qu'ils devraient remplir.
réponse '*Je répondrai* à *vos* questions quand *je vous aurai* expliqué les fonctions que *vous devrez* remplir.'

1 Il a dit aux élèves de les relire avant de les lui remettre.
2 Il a dit qu'il allait les corriger ce soir-là et qu'il les leur rendrait le lendemain matin.
3 Il a dit qu'il espérait les revoir l'année suivante quand il aurait fini ses examens de fin d'études.

4   Il lui a dit de ne pas oublier de lui faire savoir l'heure de son
    arrivée.

5   Le candidat a dit au cadre dirigeant qu'il lui téléphonerait
    quand sa femme et lui auraient vu l'appartement qu'il leur avait
    offert.

3   Traduisez en anglais l'avant dernier paragraphe du deuxième texte
        aux pages 68–9 depuis 'Sa mission? Outre un plan . . .' jusqu'à
        '. . . avide de réconfort psychologique.'

4   Traduisez en français le passage suivant:

A la recherche de mon premier emploi

'Be confident, brief and as natural as possible when answering his
questions,' his father told him, 'and don't forget that he would not
have called you for interview if he hadn't taken your application
seriously. You must do yourself justice . . . By the way, what time does
your train leave?'

Jean-Paul, a graduate in[1] business studies since June, had just been
contacted by the personnel manager of a large insurance firm at
Rouen.

The next morning Jean-Paul, sitting in a second-class carriage of
the Paris–Le Havre express, was thinking about his father's advice[2].
The nearer[3] the train got to Rouen, the less confident he felt[4]. What
would the other applicants be like? More able, more experienced, no
doubt.

Looking out of the window, he noticed that they were crossing the
Seine again. The train was beginning to slow and, a few moments later,
it pulled into the station. Exactly on time! A good sign, perhaps?

---

1 comparer: diplômé en droit *(law graduate)*   3 comparer: *Plus* elle s'éloignait de Paris, *moins* elle
2 au singulier ou au pluriel?   avait envie d'y retourner.
                                                 4 'sentir' ou 'se sentir'?

Vocabulaire utile

se faire valoir   à propos   convoquer   entrer en gare   à l'heure sonnante

5 Le Marché du travail

A Expliquez pourquoi Philippe (aux pages 65–6), étant donné ses aptitudes et ses origines, se plaira beaucoup à Nantes.

B En tant que chef du personnel d'une importante agence de publicité, vous êtes sur le point d'interviewer des candidats cherchant leur premier emploi. Ils sont diplômés en études commerciales et au cours de leurs vacances ils ont travaillé comme intérimaires (à plein temps ou à temps partiel).

Préparez une douzaine de questions que vous pourriez leur poser, en vous servant des notes ci-dessous:

- cette carrière, pour quelles raisons?
- leur temps libre, leurs passe-temps?
- préférer travailler seul/en équipe?
- s'entendre bien avec famille/camarades?
- leurs points forts (à leur avis)?
- ce qu'ils savent de notre agence?
- tout le monde – préjugés, les leurs?
- plusieurs filiales – n'est-ce pas?
- prêt à travailler – autre ville?
- leur demander de parler de leur travail intérimaire
- l'avenir – le rôle de la télévision/du Minitel?
- la publicité et son influence sur le grand public – leur avis?

Chapitre 7
La France profonde

Première partie

1 Lisez attentivement les deux textes qui suivent, puis répondez en français aux questions:

Maternité symbole

La Mûre, sa mine, sa maternité, ses montagnes, ses classes qui ferment   1
... Y a-t-il en France un exemple plus frappant de désertification? Et
pourtant, le 7 avril dernier, les rues de la petite ville d'Isère étaient
noires de monde. 8 000 personnes y défilaient. Du jamais vu. Un
maire arborant son écharpe tricolore, une foule de syndicalistes, des   5
renforts venus d'autres houillères, les retraités les plus valides. Au
coude à coude pour défendre leur maternité, promise à la casse, tout
comme leur mine de charbon. Et pour, à travers leur ville, défendre
un symbole: l'avenir d'une zone semi-rurale condamnée, comme tant
d'autres.   10

Tout a commencé quelques semaines plus tôt, le 4 mars. Un
nourrisson était mort-né aux urgences de l'hôpital de Grenoble. La
maternité de La Mûre venait de fermer sur décision du ministère de la
Santé parce qu'elle ne disposait pas d'un médecin diplômé. La jeune
mère avait dû être dirigée vers la vallée, à 50 km de là. Un délai fatal,   15
puisque le bébé décédait avant que les médecins grenoblois aient eu le
temps de pratiquer la césarienne ...

Jamais les habitants de la région ne s'étaient sentis aussi isolés.
Comme voués à la disparition. Sous le choc, la population a fait corps
autour de ses élus et de ceux des trente cantons avoisinants. Quatre   20
cents conseillers municipaux ont pris les devants: avant même la
tragédie, ils avaient envoyé au préfet une lettre de démission pour
protester contre la fermeture de leur maternité ...

L'échéance de la présidentielle, proche, et celle des municipales, à
peine plus lointaine, ont su rendre les autorités attentives aux cris des   25
révoltés.

Rèsultat: le ministère de la Santé a décidé de rouvrir l'établissement dès le mois de juillet avec, cette fois, la présence d'un médecin diplômé choisi parmi les huit candidatures au poste de gynécologue. Un bonheur n'arrive jamais seul: le 9 mai dernier, on a décidé de   30
classer le canton 'zone bénéficiant d'une prime d'aménagement du territoire'. La révolte a payé.

[texte adapté]
L'Événement

Vocabulaire

l'aménagement (m) du territoire *regional development*

le canton *administrative division, part of an* arrondissement

casse: promis(e) à la casse *destined to be closed (here); scrapped*

corps: faire corps autour de *to stand solidly behind*

devant: prendre les devants *to take the initiative*

l'écharpe (f) *sash (here); scarf*

l'échéance (f) *date (for election)*

la houillère *coalmine*

le nourrisson *newborn child*

la prime *subsidy*

valide *fit (here); able-bodied*

voué(e) *destined*

Le Parisien qui a sauvé la campagne

Lentement, la désertification ronge les campagnes. Et il arrive qu'elle   1
grignote les villes. C'est le cas autour d'Agen. A moins de 30 km de la capitale des pruneaux et du rugby, de minuscules villages (Bajamont, Sauvagnas, Dondas) meurent doucement. Les premiers signes de ces décès annoncés viennent toujours des épiceries qui ferment   5
définitivement. Jadis, quand il vendait de tout, l'unique commerce local était un centre d'attractions; il donnait une âme à la bourgade, favorisait les rencontres. Mais la concurrence des grandes surfaces a obligé les épiciers à chercher un autre emploi.

Si un épicier qui renonce tue un village, un commerçant qui revient   10
peut le sauver. A Bajamont (et dans les hameaux voisins), le sauveur s'appelle Adam. C'est ... un Parisien. Lassé de la vie à la capitale, il est venu en Gascogne 'faire le commerçant'. Et puisqu'une épicerie par village n'avait aucune chance de survivre, il a décidé de devenir 'multiservice' pour plusieurs communes. 'Le Parisien', comme on le   15
nomme ici, a acheté un car qu'il a transformé en supérette ambulante. Depuis, chaque matin, de village en village, il incarne la vitalité

retrouvée. Hélas! le car est tenu de respecter un itinéraire précis, obligeant les personnes âgées les plus isolées à se déplacer. 'J'ai donc décidé d'améliorer mon service en abandonnant le car pour une 20 camionnette. Désormais, c'est moi qui vais chez chacun de mes clients, comme une sorte de livreur à domicile.'

Et ça marche. Des journaux aux spaghettis, du jambon à la tranche de veau, 'le Parisien' va de porte en porte livrer 'la vie'. 'C'est Paris qui nous tue,' commente une mémé, 'mais il peut arriver que des 25 Parigots nous sauvent la vie . . .'

L'Événement

Vocabulaire

arrive: il arrive que . . . *sometimes . . .*

la bourgade *(straggling) village; small township*

Gascogne *Gascony (former region of France, cp. Brittany, Normandy)*

grignoter *to nibble (away at)*

le hameau(x) *hamlet*

incarner *to embody; represent*

jadis *in the old days*

lassé(e) *weary*

le livreur *delivery man*

la mémé *old woman (here); gran(ny)*

le Parigot *Parisian*

le pruneau(x) *prune*

ronger *to eat away; gnaw*

la supérette *minimarket*

surface: la grande surface *supermarket*

A Répondez en français à ces questions sur le texte 'Maternité symbole' à la page 78.

1 Expliquez pourquoi il y a de fortes chances que le nombre de chômeurs à La Mûre augmente dans un proche avenir.

2 Comment les autres mineurs de la région ont-ils exprimé leurs sentiments de solidarité?

3 Au lieu de l'opérer à La Mûre, on a dû transporter la jeune mère à Grenoble. Pourquoi?

4 Comment est-ce que les conseillers municipaux de la région avaient déjà protesté?

5 A la suite de la marche de protestation, les autorités ont vite changé d'attitude. Pourquoi?

6 Qu'est-ce que le ministère de la Santé devrait faire avant de pouvoir rouvrir la maternité?

Répondez en français à ces questions sur le texte 'Le Parisien qui a sauvé la campagne' aux pages 79–80.

7 Expliquez pourquoi la fermeture de l'épicerie dans un de ces petits villages soulève des problèmes graves pour les habitants.

8 Pourquoi les épiciers n'ont-ils pas d'autre choix que de fermer?

9 Pourquoi Adam est-il venu en Gascogne?

10 Qu'est-ce qu'il a fait pour améliorer son service?

B Pour compléter les phrases suivantes, il s'agit de choisir l'expression qui *convient le mieux*. Il suffit d'écrire 'a', 'b' ou 'c'.

exemple

1 La Mûre fournit . . . de la désertification.

  a un bon exemple

  b un exemple frappant

  c un des exemples les plus frappants

réponse **1** c

1 La maternité . . .

  a ne dessert que La Mûre.

  b ne dessert que les cantons avoisinants.

  c dessert La Mûre et les cantons avoisinants.

2 En défendant leur maternité les habitants pensent à . . .

  a leur passé.

  b l'avenir de la région.

  c rendre leur région encore plus prospère.

3 Ce sont les conseillers municipaux qui . . .

  a ont pris l'initiative.

  b ont menacé de démissionner.

  c ont sollicité les voix des électeurs.

4 Les habitants de la région . . .

  a commençaient à se sentir isolés.

  b n'avaient jamais éprouvé un tel sentiment d'isolement.

  c se sentaient de plus en plus isolés.

5 L'élection présidentielle aura lieu . . . les élections municipales.

  a peu avant

  b bien avant

  c plusieurs mois avant

6 On a décidé de rouvrir la maternité . . .

  a en juillet.

  b au cours de l'été.

  c dès la nomination du gynécologue.

7 Dans ces hameaux l'épicerie . . .

    a joue un rôle capital.

    b pourrait jouer un rôle plus important.

    c a l'avantage sur les grandes surfaces.

8 Adam . . .

    a a dû quitter la capitale.

    b n'avait plus envie d'habiter Paris.

    c a quitté Paris à contrecœur.

C Trouvez dans les textes les verbes auxquels les définitions suivantes correspondent:

exemple   porter ostensiblement
réponse   arborer

   1 prendre de préférence

   2 marcher en colonne

   3 modifier l'aspect/la nature d'une chose

   4 déclarer formellement son opposition

   5 cesser de pratiquer une profession

   6 traiter qch. de façon à l'avantager

   7 préserver qch. de la destruction

   8 remettre à l'acheteur ce qui a été commandé

   9 forcer qn à faire qch.

  10 apporter sa protection à qn/qch.

D Quels sont les mots qui manquent? Donnez une forme grammaticale (verbe, substantif ou adverbe) appropriée à un mot appartenant à la même famille que celui entre parenthèses à la fin de chaque phrase.

exemple   Elle avait déjà fait ses _____.   (acheter)
réponse   achats

   1 Il était _____ d'attendre une réponse à sa lettre.   (lassé)

   2 La _____ était située à deux pas de l'hôtel de ville.   (préfet)

   3 Aucun des _____ n'a été reçu.   (candidatures)

   4 D'autres grévistes sont venus les _____.   (renforts)

   5 Peu à peu les emplois _____ et les habitants sont obligés de chercher du travail ailleurs.   (disparition)

6 Le match avait _____ une foule immense.   (attraction)
7 Le _____ de l'Agriculture devra retourner à Bruxelles.   (ministère)
8 Quand il fait une version, il se _____ toujours de son dictionnaire.   (service)
9 La _____ de la maternité a remonté le moral aux habitants.   (rouvrir)
10 Se trouvant dans le _____, il est passé chez nous.   (voisins)

E *Adjectifs et pronoms 'indéfinis'*

■ «C'est moi qui vais chez *chacun* de mes clients.»

adjectifs	pronoms
un jour	*un* de ces jours
quelque chose	*quelqu'un*
(autre chose *something else*)	(quelqu'un d'autre *someone else*)
il y a *quelques* années	*quelques-un(e)s* de mes ami(e)s
chaque étudiant(e)	*chacun(e)* des étudiant(e)s
il *n'*a *aucune* intention de travailler	*aucun* des programmes *ne* me plaît

Complétez les phrases suivantes en insérant convenablement les adjectifs et les (pro)noms ci-dessus:

exemple   Il n'a _____ chance d'être reçu.
réponse   Il n'a *aucune* chance d'être reçu.

1 Je n'y vois _____ inconvénient.
2 _____ de mes amis me l'a dit.
3 Je crois que vous me confondez avec _____, madame.
4 _____ des élèves ne sont pas encore revenues; les autres sont déjà là.
5 _____ fois que je le rencontre, il a _____ d'intéressant à me raconter.
6 _____ des clients ne s'est plaint du service.
7 Si _____ téléphone, dites que je serai de retour avant midi.
8 Il ne faisait pas attention; il pensait à _____.
9 _____ des chambres est avec salle de bains.

2 Dressez une liste des quinze mots qui manquent, en utilisant convenablement le vocabulaire ci-dessous:

ni	lutter	par	tête	peine
veulent	s'ennuie	grâce	faute	liste
favoriser	heure	gîte	plus	isolés

Rochefourchat village fantôme

'[1] _____ d'habitants, nous n'avons pas d'ambition. Ici, il n'y a rien à faire. On s'accommode de la situation.' Madame le Maire [2] _____ dans sa minuscule commune drômoise. Rochefourchat: aucun habitant, mais douze inscrits sur la [3] _____ électorale. Les derniers résidents permanents ont quitté la commune il y a [4] _____ de dix ans. Madame le Maire également. Elle habite à Die, la sous-préfecture de la Drôme, à une [5] _____ de route. Sur une carte routière, Rochefourchat est une [6] _____ d'épingle à [7] _____ visible à la loupe. Le trois hameaux pierreux, [8] _____ à la montagne, n'existent qu'aux yeux de la géographie et pour les élections.

Quatre fois [9] _____ an, Madame le Maire prend les clés de la mairie pour se rendre dans l'ancienne école, fermée depuis 1957, transformée en [10] _____ rural. L'été, la commune s'égaye [11] _____ aux rares résidences secondaires. 'Il n'y a [12] _____ école, ni commerce, ni maisons à restaurer pour [13] _____ l'installation de nouvelles familles. Et pourtant il y a des maisons vides, des fermes abandonnées, mais les gens du pays ne [14] _____ pas les vendre. Alors, à quoi bon [15] _____?' s'interroge-t-elle. Une attitude fataliste qui gagne chaque jour du terrain.

[texte abrégé]
L'Événement

■▮ Deuxième partie

1   La Négation

exemples

. . . il *ne* voulait *plus* vivre en ville

. . . elle *ne* perd *pas* de temps

. . . (il *n'y* a) *aucun* habitant

Notes

1   Aux temps composés et à l'infinitif passé les deux termes du négatif encadrent *l'auxiliaire*:

Elle *n'*aurait *rien* trouvé d'intéressant.

Ils *n'*y sont *jamais* retournés.

Je *n'*ai *guère* eu de mal à le persuader.

Je me reproche de *n'*avoir *pas* écrit plus tôt.

MAIS

Il *n'*a vu $\begin{cases} personne. \\ ni \text{ sa tante } ni \text{ son oncle.} \\ aucun \text{ signe de vie.} \end{cases}$

2   A l'infinitif, les deux termes précèdent le verbe:

L'idée de *ne jamais* revoir la ferme l'attristait.

J'avais promis de *ne pas* m'attarder.

On lui a dit de *ne rien* acheter.

MAIS

L'idée de ne voir $\begin{cases} \text{personne} \\ \text{aucun de ses amis} \\ \text{ni sa tante ni son oncle} \end{cases}$ l'attristait.

3   A l'infinitif après 'sans', le terme '*ne*' est omis:

sans *rien* entendre

sans *plus* y penser

sans *guère* faire attention

MAIS

sans parler $\begin{cases} \text{à personne} \\ \text{à aucun des invités} \end{cases}$

4   Si 'personne', 'rien', 'aucun(e)', 'ni . . . ni . . .', 'jamais' précèdent le verbe, le terme 'pas' doit disparaître:

*Personne n'*est venu.

Rien ne vous empêche de vous raviser.

Aucun des élèves *ne* sait la réponse.

Ni sa mère *ni* son père n'approuvent ce projet.

5   Notez bien les expressions négatives suivantes:

Il *n'*y a *rien d'autre*. (*nothing else*)

Je *ne* sais *pas du tout* pourquoi. (*not at all*)

Il *n'*a *même pas* regardé la photo. (*not even*)

Ils *n'*y vont *pas non plus. (not . . . either)*

Je *ne* l'ai trouvé *nulle part. (not . . . anywhere)*

Il *n'*est *pas encore* parti. *(not yet)*

Pourquoi pas le faire? *(why not)*

Ni eux *non plus. (nor they either, etc.)*

Elle n'était *nullement* surprise de les voir. *(not at all/in the least, in no way)*

A Refaites les phrases suivantes en écrivant au négatif les mots soulignés:

exemples

1 Il leur rendait <u>souvent</u> visite.

2 Il leur dit de <u>recommencer</u>.

réponses

1 Il *ne* leur rendait *guère* visite.

2 Il leur dit de *ne pas* recommencer.

   1 Il lui restait <u>encore</u> de l'argent.

   2 Il sort presque <u>toujours</u> le soir.

   3 Il a trouvé <u>quelque chose</u> d'intéressant dans les petites annonces.

   4 Il y a <u>toujours</u> <u>quelqu'un</u> de service la nuit.

   5 <u>Chacun</u> des touristes aimait cette région déserte.

   6 Vous avez <u>autre chose</u> à me dire?

   7 Il leur a conseillé d'en parler à <u>tout le monde</u>.

   8 'J'ai <u>encore</u> envie d'y aller.'   'Moi <u>aussi</u>.'

   9 Ils ont décidé de faire <u>quelque chose</u>.

 10 <u>Quelqu'un</u> était venu à leur rencontre.

 11 Ils en ont vu <u>un peu partout</u>.

 12 La conductrice de la Peugeot est <u>complètement</u> responsable de l'accident.

B Refaites les phrases suivantes en remplaçant chaque blanc par un terme de négation approprié:

exemple   Il quitta la maison sans _____ dire à _____.

réponse   Il quitta la maison sans *rien* dire à *personne*.

   1 _____ élève _____ a réussi à résoudre ce problème.

   2 Pourquoi _____ reconnaître votre erreur?

   3 Elle _____ éprouvait _____ envie d'y retourner.

4 Il détestait vivre en ville et s'est juré de _____ _____ remettre les pieds là-bas.

5 On _____ trouverait _____ part ailleurs une telle tranquillité.

6 _____ ayant _____ d'autre à leur dire, il se leva et les accompagna à la porte.

7 Il pleuvait à verse et il espérait _____ _____ avoir à sortir.

8 _____ question de déménager: _____ sa femme _____ lui _____ quitteraient _____ leur pays natal.

2 Pronoms adverbiaux: y, en

Notes

1 Au cas où vous auriez besoin d'employer ces deux pronoms avant le verbe, n'oubliez pas que *y* se place devant *en*:

Il y en a dans le frigo.

Employés avec un pronom personnel (réfléchi), ces deux pronoms se placent toujours les derniers:

Je m'*y* intéresse beaucoup.   Ils s'*en* occuperont.

Tu t'*y* plairas.   Nous les *en* avons félicités.

2 Notez bien les exemples suivants du pronom *y*:

Ils vont en ville ce soir; je les *y* verrai peut-être. [*y* = en ville = *there*]

Quand est-ce que la manifestation aura lieu? Je voudrais bien *y* participer. [*y* = à la manifestation (participer à) = *in it*]

Pourriez-vous m'aider à déplacer la bibliothèque? – Bien sûr, je vous *y* aiderai. [*y* = à déplacer la bibliothèque = *to do it*]

3 Le plus souvent *y* et *en* représentent plutôt des *choses* et des *idées* que des personnes.

Voici des exemples du pronom *en* (= nom ou adverbe précédé de *de*):

Si tu n'as pas d'argent, je t'*en* prêterai. [*en* = de l'argent = *some*]

Ton frère n'*en* aura sûrement pas. [*en* = de l'argent = *any*]

Mon vélo? Je m'*en* sers tous les jours. [*en* = de mon vélo (se servir de) = *it*]

Vous avez trouvé un emploi? J'*en* suis ravi. [*en* = de ce que vous avez trouvé un emploi = *to hear it*]

Mon nouveau dictionnaire fournit d'excellents exemples. J'*en* suis très content. [*en* = *de* mon nouveau dictionnaire = *with it*]

4 Dans les exemples suivants, contraire à l'anglais où *'of it/them'* n'est pas toujours nécessaire, le français veut le pronom 'en' pour compléter un nombre, une quantité ou un adjectif:

J'*en* ai beaucoup.

Combien *en* as-tu acheté?

J'*en* ai acheté trois.

Au marché il y avait des pêches, et j'*en* ai acheté un kilo de bien mûres.

A Refaites les phrases suivantes en remplaçant les expressions soulignés par des pronoms convenables:

exemple Je n'ai qu'un souvenir confus de l'incident.
réponse Je n'*en* ai qu'un souvenir confus.

1 Las d'être privés <u>de transports locaux</u>, tous les habitants du village ont manifesté <u>devant la préfecture</u>.
2 Le préfet ne s'attendait pas <u>à des répercussions</u>.
3 Ah, voici <u>le directeur</u>! A-t-il pu rassurer <u>les clients</u>? Il n'a pas l'air d'avoir pu <u>les rassurer</u>.
4 Elle a acheté une douzaine <u>d'oranges</u> <u>au marché</u>.
5 On a accusé <u>le maire</u> d'abuser <u>de sa position</u>.
6 Il s'intéresse depuis longtemps <u>à la politique locale</u>.
7 Il n'a pas encore parlé <u>à ses parents</u> <u>de sa décision</u>.
8 On essaya en vain d'empêcher <u>les conseillers</u> <u>de démissionner</u>.

3 Traduisez en anglais le deuxième paragraphe du 'Le Parisien qui a sauvé la campagne' aux pages 79–80 depuis 'Si un épicier qui renonce tue . . .' jusqu'a '. . . une sorte de livreur à domicile.'

4 Traduisez en français le passage suivant:

Les Ruraux

Whereas some of these countryfolk resign themselves to living elsewhere, if their way[1] of life is threatened, there are others[2] who are determined, at all costs, to defend it. They don't hesitate to take the initiative: protest marches, rallies, mass resignations. They have no wish to be deprived of their way of life.

Nobody wants to live in a village without public transport, a post office or a grocer's shop. Nobody welcomes the authorities' decision to close the primary school or the local hospital.

However, in certain districts[3], the first signs of a slight recovery have become apparent recently. Those who can no longer bear city life have come to the country in search of peace and quiet and have settled there.

Furthermore, thanks to the demonstrators, the authorities have been persuaded in several cases not to discontinue the essential services.

---

1 'le' ou 'la' mode?   3 'quartier' ou 'région'?
2 comparer: Quant aux villages, il y en a de très isolés.

Vocabulaire utile

tandis que   résolu(e) à + inf   coûte que coûte   défilé de manifestants
collectif-ve   les transports en commun   se réjouir de   léger-ère
la vie urbaine   un peu de calme   supprimer

5 Écrivez un paragraphe en français en réponse à chacune des trois questions qui suivent:

A Qu'est-ce qui montre que les ruraux, ayant soif de démocratie locale, prennent leur destin en main?

B Aujourd'hui il y a des campagnes qui commencent à se repeupler. Quelles sont, à votre avis, les principales raisons pour lesquelles les citadins s'y installent?

C Imaginez. Vos grands-parents habitent un petit village près d'Agen. Expliquez pourquoi ils sont si contents de faire la connaissance du 'Parisien'.

Chapitre 8
Le Bac

1

Le Nouvel oral

Cette année, les lycéens ont inauguré la nouvelle formule de l'épreuve   1
anticipée[1] de français. L'oral voit apparaître un entretien, destiné à
évaluer la culture générale du candidat. A l'écrit, l'étude d'un texte
argumentatif a remplacé l'ancien 'résumé-discussion'.

Le Monde de l'Éducation

1 taken one year before the other subjects chosen, (i.e. 'en première')

Lisez attentivement le texte suivant, puis faites les exercices.

Alexandre: 'bombardé de questions!'

L'examinatrice a sélectionné dans *L'Étranger* de Camus un passage étudié   1
en cours, mais très long: une page et demie. Je lui ai fait remarquer qu'en
principe on ne devait donner que dix lignes. Elle l'a donc réduit, mais
d'une manière qui me semblait peu judicieuse, si bien qu'elle m'a laissé
faire la coupe moi-même. Après avoir fini ma préparation, j'ai écouté la   5
fin de l'interrogation de la candidate précédente. La prof lui a posé une
dernière question, pour savoir, lui a-t-elle dit, 'si je vous mets 16 ou 17'[1].
Cela m'a rassuré: l'examinatrice était super!

Je voulais commencer par une brève biographie de Camus, évoquer
le contexte historique dans lequel il a écrit *L'Étranger* et enchaîner par   10
un développement sur l'absurde. La prof ne m'a pas laissé terminer
mon introduction. Elle m'a littéralement bombardé de questions dont
certaines anticipaient ce que j'avais envie de dire, alors que d'autres
me semblaient sans rapport logique entre elles: 'Meursault est-il
stupide? Trouvez-vous l'appartement de Meursault agréable? Quand   15
est apparue la notion d'absurde? La théorie de l'absurde est-elle la

même chez Camus, Sartre et Ionesco?' A cette dernière question j'ai commencé à répondre 'Oui mais,' car je voulais donner une réponse nuancée. L'examinatrice m'a interrompu d'un 'donc, c'est oui'. J'ai tenté de préciser, mais elle m'a à nouveau coupé la parole en me 20 demandant de répondre à ses questions.

A la fin de l'interrogation, je lui ai demandé quelle était ma note. Elle m'a répondu que cela ne se faisait absolument pas. Je le savais, mais comme je l'avais entendue annoncer sa note à la candidate précédente, je me croyais autorisé à le faire. 25

Elle m'a cependant dit que ce n'était pas mal. J'ai eu 11, mais j'ai été déçu de cet oral, mon premier oral. Je ne m'attendais pas à un entretien de ce type, car lors du bac blanc dans mon lycée, j'avais eu droit à une interrogation des plus classiques: un exposé sur le texte, et ensuite le professeur posait des questions. 30

[texte adapté]
Le Monde de l'Éducation

---

1 16 ou 17: i.e. out of 20

Vocabulaire

l'absurde (m) *the absurd (in philosophy, the absurdity of man's condition and existence)*
blanc *mock (of examinations) (here)*
enchaîner *to tie it in with*

l'entretien (m) *discussion, conversation; interview*
l'exposé (m) *account; report*
nuancé(e) *qualified*
si bien que *with the result that*

A Pour faire en quelque sorte le résumé de ce texte, complétez les phrases suivantes:

exemple Alexandre a protesté contre . . .
réponse . . . la longueur du passage qu'il devait préparer

1 Alexandre a reconnu le passage choisi par l'examinatrice parce que . . .
2 L'examinatrice a permis . . . de fixer la longueur du passage.
3 Quand Alexandre a fini sa préparation, l'examinatrice était toujours en train de . . .
4 Il savait que la jeune fille qui l'avait précédé était bonne élève: l'examinatrice lui . . .

5 Alexandre n'avait pas encore . . . , quand la prof lui a coupé la parole.

6 Ce qui le décevait, c'était que certaines questions anticipaient . . .

7 L'examinatrice a commencé par refuser de . . .

8 Il a été déçu de cet oral parce qu'il . . .

B ■ «. . . en *me* demandant *de* répondre à ses questions.» (demander *à* qn *de* + inf)

Commander, conseiller, crier, défendre, dire, écrire, ordonner, permettre, promettre, proposer, reprocher (à qn d'avoir fait/de n'avoir pas fait . . .) s'emploient de la même façon.

Complétez, comme vous voudrez, les phrases suivantes, en employant convenablement les verbes ci-dessus:

exemple Si le professeur avait vu les graffiti, il . . . (commander)
réponse POSSIBLE Il *aurait commandé aux* élèves *de* les effacer.

1 Il n'y avait pas de courrier, et pourtant . . . (promettre)

2 Elle avait toujours de bonnes notes en maths, et le conseiller d'orientation . . . (proposer)

3 Ayant corrigé leur interrogation écrite, la prof . . . élèves . . . n'avoir pas . . . (reprocher)

4 Il n'avait pas encore fini ses devoirs, et ses parents . . . (défendre)

5 Le docteur croyait que je me surmenais, et il . . . (conseiller)

6 Si nos parents . . . , cela nous ferait très plaisir de les revoir. (permettre)

2 Après avoir lu le texte ci-dessous, abordez les exercices:

Étude d'un texte argumentatif
Le Sport

(texte choisi dans 'Les Terrasses de l'île d'Elbe', Jean Giono, © Gallimard, 1976)

Je suis contre. Je suis contre parce qu'il y a un ministre des sports et   1
qu'il n'y a pas de ministre du bonheur (on n'a pas fini de m'entendre
parler du bonheur, qui est le seul but raisonnable de l'existence).

Quant au sport, qui a besoin d'un ministre (pour un tas de raisons, d'ailleurs, qui n'ont rien à voir avec le sport), voilà ce qui se passe: 40 000 personnes s'assoient sur les gradins d'un stade et 22 types tapent du pied dans un ballon. Ajoutons suivant les régions un demi-million de gens qui jouent au concours de pronostics, et vous avez ce qu'on appelle le sport … On rêve de stades d'un million de places dans des pays où il manque 100 000 lits dans les hôpitaux, et vous pouvez parier à coup sûr que le stade finira par être construit et que les malades continueront à ne pas être soignés comme il faut par manque de place. Le sport est sacré; or c'est la plus belle escroquerie des temps modernes …

Quand un tel arrive premier en haut de l'Aubisque (col des Pyrénées)[1], est-ce que ça a changé grand-chose à la marche du monde? Que certains soient friands de ce spectacle, pourquoi pas? Ça ne me gêne pas. Ce qui me gêne, c'est quand vous me dites qu'il faut que nous arrivions tous premier en haut de l'Aubisque sous peine de perdre notre rang dans la hiérarchie des nations. Ce qui me gêne, c'est quand, pour atteindre ce but ridicule, nous négligeons le véritable travail de l'homme. Je suis bien content qu'un tel ou une telle 'réalise un temps remarquable' (pour parler comme un sportif) dans la brasse papillon, voilà à mon avis de quoi réjouir une fin d'après-midi pour qui a réalisé cet exploit, mais de là à pavoiser (orner de drapeaux) les bâtiments publics, il y a loin.

[en abrégé]
Séries technologiques, Antilles – Guyane

1 Tour de France

Vocabulaire

la brasse papillon *butterfly (stroke)*
l'escroquerie (f) *swindle*
friand(e) de *very fond of*
les gradins (m pl) *the terraces*

pronostic: le concours des
  pronostics *the football pools*
tel: un tel *so-and-so*

A Cherchez dans le texte l'équivalent français des expressions suivantes:

to reach the top of
properly

what bothers me is …
for lack of space

at the risk of   it's a far cry

it's not the last time ...   something to brighten up ...

B Dites si les phrases suivantes sont vraies ou fausses:

1 A l'avis de l'auteur le bonheur est beaucoup plus important que les sports.
2 Il croit qu'il y aura un de ces jours un ministre du bonheur.
3 Le ministre des sports ne s'occupe que des sports, selon l'auteur.
4 Il lui semble que les spectateurs sont de vrais sportifs.
5 A son avis, il ne faut pas prendre au sérieux les matchs de football.
6 A ce qu'il lui paraît, l'équipement des hôpitaux devrait avoir la priorité sur la construction des stades.
7 Il trouve que le grand public n'attache pas assez d'importance aux rencontres sportives internationales.
8 Il est normal qu'un concurrent se loue d'avoir réalisé un temps remarquable, à son avis.

3 Lisez attentivement le texte suivant, puis répondez en français aux questions.

Les Lycéens font du théâtre: Le Bac sur les planches

Depuis 1987, les élèves des sections littéraires peuvent passer une   1
épreuve de théâtre au bac ...

Quatre heures par semaine, les élèves – treize en seconde, six
en première et en terminale – poussent les chaises et les tables de
la salle de classe et apprennent les rudiments de la mise en scène et   5
de l'expression théâtrale. Une formation complétée par trois heures
plus ou moins obligatoires dans l'atelier théâtre qu'anime Jean-
Jacques qui assure les cours d'art dramatique.

'Les établissements sont souvent associés à une compagnie locale.
A Amiens nous travaillons avec la maison de culture de la ville. Elle nous   10
permet de rencontrer des metteurs en scène de passage ... Il s'agit
d'être honnête avec les élèves. L'option théâtre n'est pas l'antichambre
des écoles professionnelles. Nous leur offrons un bagage, mais ils ne
deviennent pas pour autant des comédiens. A Amiens, il faut d'abord

casser l'image que les adolescents se font du théâtre, car certains ne le connaissent pas ou seulement par la télévision. Je veux montrer à de futurs citoyens qu'il est légitime d'avoir une pratique du théâtre, comme il est légitime d'ouvrir un livre ... 15

Le théâtre est une matière rare, différente de toutes les autres. On la choisit, on ne la subit pas. C'est une forme de connaissance de soi par la pratique. Ainsi, nous ne travaillons pas souvent sur les textes. Je préfère l'improvisation, l'assouplissement, la relaxation, le travail sur la voix. Chacun doit savoir se repérer dans l'espace, connaître ses limites, éliminer ses inhibitions, apprendre à se servir de chaque articulation, de chaque muscle. Les élèves apprennent aussi la concentration, à la fois 25 individuelle et collective. 20

Le lycée a parfaitement compris l'enjeu de cette nouvelle option, même s'il a fallu se battre pour obtenir une vraie salle de répétition. 'L'année prochaine, nous n'aurons plus besoin de pousser les tables et de jeter un tapis sous le tableu noir.' Il a un regret cependant. Que 30 cette option soit réservée aux élèves du littéraire. 'Tous devraient avoir accès à la formation dramatique ...'

A la fin de l'année, on présentera un travail de longue haleine: *Les Oiseaux* d'Europide.

[texte adapté]
Le Monde (Radio-Télévision)

Vocabulaire

l'atelier (m): atelier théâtre *theatre workshop*

l'assouplissement (m) *limbering up*

autant: pour autant *all the same*

le bagage *qualification; knowledge*

comédien-ne (m f) *actor, actress*

l'éducation nationale *ministry of Education*

fois: à la fois ... et ... *both ... and ...*

haleine: de longue haleine *long and demanding*

les lettres *French (school subject)*

les planches (f pl) *the stage; the boards*

la pratique *practical experience*

se repérer *to get one's bearings*

la répétition *rehearsal*

scène (f): la mise en scène *staging a play; production*

le théâtre *drama (here)*

A Répondez en français aux questions:

1 Combien de lycéens prennent cette option? Et combien d'heures de théâtre ont-ils par semaine?

2 Pour quelles raisons est-ce que leurs relations avec la maison de culture d'Amiens sont si utiles?

3 Où est-ce que ceux qui choisissent le métier de comédien doivent être formés?

4 De quoi les élèves avaient-ils, au départ, des idées fausses?

5 Comment est-ce que le travail qu'ils font pourrait donner aux élèves plus d'assurance?

6 Pourquoi, l'année prochaine, les élèves n'auront-ils pas besoin de pousser les tables?

7 Pourquoi les élèves qui sont entrés dans les sections scientifiques ne peuvent-ils pas choisir cette option?

B Exprimez en français, en vos propres termes, ce que vous entendez par les phrases suivantes:

1 L'option théâtre n'est pas l'antichambre des écoles professionnelles.   (lignes 12–13)

2 On la choisit, on ne la subit pas.   (lignes 19–20)

3 Une forme de connaissance de soi.   (ligne 20)

4 Tous devraient avoir accès à la formation dramatique. (lignes 31–2)

■■■ Deuxième partie

1 Le Subjonctif: Formation

- «*Il faut que* nous *arrivions* tous premier . . .»
- «*Je suis bien content qu'*un tel ou une telle '*réalise* un temps remarquable' . . .»
- «*Il a un regret* cependant. *Que* cette option *soit* réservée aux élèves du littéraire.» (En d'autres terms: *il regrette que* cette option *soit* réservée . . .)

Notes

1 Au subjonctif présent les terminaisons de tous les verbes (à part 'avoir' et 'être') sont:

(je) -E   (nous) -IONS

(tu) -ES   (vous) -IEZ

(il/elle/on) -E   (ils/elles) -ENT

2 Dans la plupart des cas, pour former ce temps, il s'agit de remplacer la terminaison -ENT du présent par les terminaisons ci-dessus:

ils finissent	→ je FINISSE	ils perdent	→ tu PERDes
ils écrivent	→ il ÉCRIVE	ils trouvent	→ nous TROUVions
ils lisent	→ vous LISiez	ils sortent	→ ils SORTent

3 On a besoin du subjonctif présent des verbes 'avoir' et 'être' pour former *le subjonctif passé*:

AVOIR		ÊTRE	
j'aie	nous ayons	je sois	nous soyons
tu aies	vous ayez	tu sois	vous soyez
il ait	ils aient	il soit	ils soient

exemples

*Je suis content qu'*il *ait* réussi l'oral.
*Je m'étonne qu'*elle ne *soit* pas venue.
*C'est bien dommage qu'*ils se *soient* mis en route si tard.

4 Faites bien attention aux verbes irréguliers suivants:

faire (je fasse, etc.)   pouvoir (je puisse, etc.)
falloir (il faille)   savoir (je sache, etc.)
pleuvoir (il pleuve)

En ce qui concerne aller (aille); boire (boive); devoir (doive); prendre (prenne); recevoir (reçoive); tenir (tienne); venir (vienne); voir (voie); vouloir (veuille), *il faut l'imparfait après 'nous' et 'vous'*.

exemples

j'aille (nous allions)   il reçoive (nous recevions)
tu boives (vous buviez)   ils veuillent (vous vouliez)

Au cours de vos lectures, notez bien les circonstances dans lesquelles le subjonctif est nécessaire.

A Écrivez au subjonctif présent les indicatifs présents ci-dessous:
1 il a; nous sommes; ils ont; nous avons; elle est
2 ils font; nous pouvons; tu sais; il va; tu veux
3 il traduit; je me plains; tu aperçois; elle entend; tu choisis
4 nous recevons; vous faites; ils vont; vous voyez; il sort

B Refaites les phrases suivantes en remplaçant chaque infinitif entre parenthèses par le subjonctif du verbe, et notez bien les circonstances dans lesquelles ce temps est nécessaire:

exemple   *Il faut que* vous (faire) bien attention aux questions.
réponse   Il faut que vous *fassiez* bien attention aux questions.

1   *Il faut que* nous (apprendre) le vocabulaire.
2   *Il est important que* l'écriture (être) lisible.
3   *Je suis bien content qu'*elle (avoir) réussi son épreuve.
4   *Je suis désolé que* tu ne (venir) pas au concert.
5   *Je doute qu'*il (vouloir) y participer.
6   *Il est possible qu'*ils ne le (avoir) pas encore reçu.
7   *Il est peu probable qu'*ils (aller) à l'étranger cet été.
8   J'ai apporté mon album *pour que* tu (pouvoir) voir les photos.
9   *Quoique* les examens (être) tout proches, je n'ai pas encore commencé mes révisions.
10   Il prend des leçons de soutien en anglais, *sans que* les autres élèves le (savoir).

Notes
pour que; afin que = *so that, in order that*
quoique; bien que = *although*
pourvu que; à condition que =*provided that*

Le verbe est toujours au subjonctif après ces conjonctions.

2   Ce qui, ce que

Lisez attentivement les exemples ci-dessous:

■   «Un peu plus de trois quarts des candidats ont été admis à l'épreuve, *ce qui* constitue un taux de réussite inégalé.» (= *which*)
■   «. . . questions dont certaines anticipaient *ce que* j'avais envie de dire . . .» (= *what*)
■   «Voilà *ce qui* se passe . . . et vous avez *ce qu'*on appelle le sport . . .» (= *what*)
■   «*Ce qui* me gêne, *c'est* . . .» (*what* . . . , *is* . . .)

Notes

1 On emploie les neutres CE QUI [sujet] et CE QUE [objet direct] dans l'interrogation indirecte:

Qu'est-CE QUI se passe?

Savez-vous CE QUI se passe?

Qu'est-CE QUE vous en pensez?

Je me demande CE QUE vous en pensez.

2 CE QUI, CE QUE, CE DONT, CE À QUOI s'emploient comme pronoms relatifs:

Il écoutait attentivement CE QUE je disais.

CE QUI était exposé en vitrine coûtait trop cher.

L'article ne fait pas mention de CE DONT nous discutions tout à l'heure.

3 On se sert des mêmes pronoms pour mettre quelque chose en relief:

CE QUI m'intéresse le plus, C'EST les cours de théâtre.

CE QU'il veut, C'EST des réponses brèves.

CE DONT tout le monde parle en ce moment, C'EST la crise de l'emploi.

4 Ces termes peuvent avoir comme antécédent une proposition:

L'examinateur a refusé de me faire savoir ma note, CE QUI m'a contrarié un peu.

Il avait de la mémoire, CE QU'il trouvait très utile lors des examens.

5 CE QUI, CE QUE, etc. s'emploient toujours avec TOUT. Notez bien les exemples suivants:

TOUT CE QUI brille, n'est pas or.

TOUT CE QUE vous dites est vrai.

Vous y trouverez TOUT CE DONT vous aurez besoin.

A Sans recopier les phrases ci-dessous, faites une liste des pronoms qui manquent. Il faut utiliser convenablement les pronoms suivants:

qui ce qui que ce que dont ce dont

exemple _____ me surprend, c'est que ceux _____ assistent aux matchs, se comportent si bien.

réponse Ce qui . . . qui . . .

   1 _____ est important dans le nouvel oral, c'est que les élèves

_____ le passent, disposent de vingt minutes pour préparer leur étude du texte _____ on a choisi.

2 Pendant les vingt minutes _____ ils disposent, ils peuvent se remettre en mémoire _____ ils auront besoin d'utiliser en faisant leur exposé.

3 Bien sûr, il y a ceux _____ diront que le bac d'aujourd'hui n'est plus _____ il était. Ils feraient bien de lire l'étude _____ va publier sous peu le ministère de l'Éducation nationale.

4 _____ on doit se rendre compte en lisant *Le Sport*, c'est que celui _____ parle n'est pas nécessairement Giono, puisque cet extrait vient d'une œuvre de fiction.

5 Dans le couloir, il vit les autres candidats, _____ trois filles, _____ il ne connaissait pas. L'examinateur n'était pas encore arrivé, _____ était embêtant.

6 'Tout _____ je sais, c'est que ce monsieur fait des cours sur Sartre et Camus à l'université,' dit la brune en réponse à la question _____ je venais de lui poser.

B Complétez convenablement les phrases ci-dessous en insérant des propositions qui commencent par 'ce qui' ou 'ce que':

exemple   Je voudrais savoir . . . , s'il ne réussit pas le concours d'entrée.

réponse POSSIBLE   . . . ce qu'il fera . . .

1 Mon ami(e) français(e) m'a demandé . . . pendant mon séjour à Angers.
2 . . . dans le journal, m'a vraiment choqué(e).
3 Je me demandais . . . , en voyant mon bulletin trimestriel.
4 Il y a moins de trains le dimanche, . . . commode.
5 Après les examens blancs, le professeur nous a demandé . . .
6 . . . difficile, c'est de conjuguer ces verbes irréguliers.

3 Traduisez en anglais le deuxième paragraphe de 'Le Sport' à la page 93, depuis 'Quand un tel arrive . . .' jusqu'à '. . . il y a loin.'

4 Traduisez en français le passage suivant:

Le Niveau scolaire

Although they do[1] a lot less Latin, today's pupils learn a lot more maths than previously, which is perfectly reasonable in view of their possible needs. Those who complain about the present educational standards do not always take these needs into account.

Year after year the successful[2] baccalaureate candidates come in for criticism: they don't know how to spell[3], they don't express themselves clearly[4] or coherently, the examiners mark their scripts too leniently[5]. It is possible that these critics have[6] forgotten what they were able to do, themselves[7], at the age of eighteen.

The world of education has greatly changed. For[8] some years now the pupils have been following courses in[9] information technology, and they can take[10] the baccalaureate in subjects such as drama and sports, if they are interested in them.

1 à l'indicatif ou au subjonctif?	6 à l'indicatif ou au subjonctif?
2 comparer: reçu(e) au concours d'entrée	7 comparer: Il l'a fait *lui-même.*
3 l'orthographe (f)	8 comparer: Il y *travaille* [le présent] *depuis* six mois.
4 comparer: *d'une façon* différente	9 de
5 comparer: *patiently* *avec* patience	10 passer (un examen)

Vocabulaire

auparavant   éventuel(le)   se plaindre de   tenir compte de
être critiqué(e)   noter   la copie   l'indulgence (f)   l'informatique (f)
tel(le) que

5   Écrivez un paragraphe (60–80 mots) en réponse à chacune des questions suivantes:

A Les exploits des sportifs prennent trop d'importance et ne méritent pas qu'à cette occasion l'on pavoise les bâtiments publics estime Giono. Vous donnerez votre avis à propos de cette opinion.

Étude d'un texte argumentatif, Séries technologiques, Antilles – Guyane

B Quels sont, à votre avis, les avantages de choisir l'option théâtre?

Chapitre 9
Sous l'Occupation

■■ Première partie

1   Lisez les textes suivants avant d'aborder les exercices.

Un Sac de billes

Paris en 1941 n'est plus la capitale d'une terre d'asile qui arbore pour   1
devise au fronton de ses mairies 'Liberté, Égalité, Fraternité'. Paris est
une ville occupée où l'ennemi nazi impose ses lois d'exception et le
port de l'étoile jaune à tous les Juifs.

    Leur mère en a donc cousu une au revers du veston de Maurice et   5
de Joseph avant leur départ pour l'école. Le résultat est immédiat, le
racisme des gamins se déchaîne et les deux Joffos rentrent qui avec
l'oreille en chou-fleur, qui avec l'œil poché et le genou meurtri. Oh!
en compensation, il y a bien eu le troc proposé par Zérati, le copain
de Jo, l'étoile jaune contre un sac de billes, mais leur père a compris: il   10
faut fuir.

    Maurice, douze ans, et Joseph, dix ans, doivent rejoindre leurs
frères Henri et Albert déjà installés à Menton. Ils auront à franchir la
ligne de démarcation, près de Dax, sans papiers. Les parents suivront
plus tard. Et la course vers la liberté commence . . .   15

[texte abrégé]
Joseph Joffo, *Un Sac de billes*
Éditions Jean-Claude Lattès, 1973

Vocabulaire

l'asile (m) *refuge; asylum*
coudre (cousu) *to sew*
la devise *motto*
exception: d'exception *emergency*

meurtrir *to bruise*
le revers *lapel*
le troc *swap*

Arrivée à Dax

Le train roule encore quelques mètres, les freins crissent, les roues 1
serrées à mort glissent encore quelques mètres sur les rails et
s'arrêtent.

Je regarde autour de moi stupéfait: le couloir est presque vide.
Dans le compartiment derrière, il y a des places vides. Le prêtre est 5
toujours là.

Maurice prévient ma question. 'Il y en a beaucoup qui ont sauté en
marche, au ralentissement.'

Le haut-parleur résonne, il y a une longue phrase en allemand et
soudain je les vois, ils sont une dizaine sur les quais; ils traversent la 10
voie et viennent vers nous. Ce sont des gendarmes allemands.

La porte du compartiment coulisse et nous entrons. Il y a une place
vide à côté du prêtre.

Le train est silencieux à présent, les Allemands bloquent les issues.

'Monsieur le Curé, nous n'avons pas de papiers.' Il me regarde et 15
sourit pour la première fois depuis Paris.

Il se penche et j'ai du mal à percevoir son chuchotement. 'Si tu as
l'air aussi effrayé, les Allemands vont s'en apercevoir, sans que tu le
leur dises. Mettez-vous près de moi.' Nous nous serrons contre lui.

'Papiers . . .' 20

Ils se rapprochent. On entend les portes glisser lorsqu'ils les
ouvrent et les ferment.

'Papiers . . .' C'est le compartiment à côté maintenant. Il ne faut
surtout pas donner l'impression que j'ai peur de quoi que ce soit.

Je sors un restant de sandwich et je mords dedans au moment où 25
la porte s'ouvre. Maurice leur jette un regard parfaitement détaché et
j'admire cette maîtrise de comédien consommé chez mon frangin.

'Papiers . . .'

Le prêtre présente ses papiers. Je mâche toujours. L'Allemand
regarde la photo et compare avec l'original. Je mâche toujours. 30

'J'ai un peu maigri,' dit le curé, 'mais c'est bien moi.'

Une ombre de sourire passe sur le visage de notre contrôleur.

'La guerre,' dit-il, 'les restrictions . . .'

Il n'a pas d'accent ou faiblement, sur certaines consonnes. Il rend le
papier et dit: 'Mais les curés ne mangent pas beaucoup.' 35

'C'est une grosse erreur, pour mon cas tout au moins.'

L'Allemand rit et tend la main vers moi. Toujours riant le curé me
donne une pichenette sur la joue. 'Les enfants sont avec moi.'

La porte s'est déjà refermée après un salut éclair de l'Allemand hilare. 40

Mes genoux se sont mis à trembler. Le curé se lève. 'On va pouvoir descendre à présent.'

Au buffet de la gare, je toussote pour éclaircir ma voix. 'Avant tout, on voudrait vous remercier Maurice et moi pour ce que vous avez fait.' 45

Le curé reste un instant interloqué. 'Mais qu'est-ce que j'ai fait?'

C'est Maurice qui continue: 'Vous avez menti pour nous sauver en disant que nous étions avec vous.'

'Je n'ai pas menti,' déclare le curé. 'Vous étiez avec moi comme tous les enfants du monde le sont également. C'est même l'une des 50 raisons pour lesquelles je suis prêtre, pour être avec eux.'

[texte abrégé]

Joseph Joffo, *Un Sac de billes*

Vocabulaire

consommé *consummate*	interloqué(e) *taken aback*
coulisser *to slide*	l'issue (f) *exit*
crisser *to screech*	mâcher *to chew*
éclair *brief (here)*	la pichenette *flick*
le frangin *brother*	serré(e) à mort *locked*
hilare *laughing*	toussoter *to give a little cough*

A Complétez les phrases suivantes:

1 En se réveillant à Dax, Joseph a remarqué, à sa grande surprise, que . . .

2 Peu avant d'entrer en gare, le train a . . . , ce qui a permis . . . sans papier de . . .

3 Les gendarmes allemands qui passaient de compartiment en compartiment, avaient pour fonction de . . .

4 Selon le prêtre, les Allemands sauraient tout de suite à son air effrayé que Joseph . . .

5 Joseph s'est mis à . . . pour donner aux Allemands l'impression qu'il n'avait rien à craindre.

6 En disant au contrôleur qu'il a maigri, le curé veut dire que . . .

7 L'Allemand n'a pas insisté pour voir les papiers des deux frères parce que . . .

8 Le curé nie avoir menti et explique à Maurice et Joseph qu'une des raisons pour lesquelles il . . . est pour être avec . . .

2 Après avoir lu le texte suivant, répondez en français aux questions.

Vichy espionne les Français

Des milliers de fonctionnaires français, recrutés chez les militaires démobilisés, se livrent à un étrange travail dans les centres postaux en zone libre: armés de seringues, ils injectent un jet de vapeur dans les enveloppes du courrier, ouvrent les lettres et les lisent. Si elles leur semblent intéressantes, ils prennent la peine de les recopier intégralement à la machine à écrire, en plusieurs exemplaires, sur du papier pelure où ils vont mentionner le nom de l'expéditeur et celui du destinataire.

Puis les fonctionnaires recollent soigneusement les enveloppes et remettent le courrier en circulation. En principe, le courrier doit parvenir à ses destinataires et personne ne doit soupçonner qu'il a été intercepté.

On ignorait cette pratique parfaitement illégale du gouvernement de Vichy, qui espionnait – pour son propre compte, sans aucune intervention des Allemands – ses concitoyens. Un système clandestin de surveillance qui mobilise des milliers de personnes pour ouvrir . . . deux millions de lettres par mois.

Les honorables fonctionnaires écoutent aussi les conversations téléphoniques, qu'ils enregistrent sur des rouleaux de cire, puis dactylographient, encore sur ce papier pelure typique de la bureaucratie policière.

Vichy espionnait ses citoyens pour réprimer le marché noir et

1

5

10

15

20

autres combines, repérer les Juifs, les francs-maçons, les résistants, les étrangers. Mais aussi, simplement, pour être au courant de ce qui se passait dans la tête des Français: une forme de sondage permanent sur l'opinion publique. 25

Fouillant, aux archives nationales, des cartons inexplorés, Antoine Lefébure a retrouvé et compulsé des lettres admirables et des lettres terrifiantes, des conversations étonnantes, en direct de la France profonde qui subit l'Histoire plutôt qu'elle ne la fait. 30

On y voit des gens préoccupés, d'abord, de bouffe. Des célèbres comme Roger Martin du Gard[1] écrivant de Nice à son ami André Gide[1]: 'Pas surpris que tu passes par des heures de tristesse et de découragement. Ici, c'est général. La sous-alimentation a fait son œuvre, peu à peu. Les gens sont tantôt mornes et tantôt hargneux.' 35

Et des inconnus qui conversent dangereusement au téléphone, de Nice à Toulon:

TOULON: Ah! Dites! Votre frère vous envoie 300 kilos de pommes de terre. Il les met dans une caisse sous la dénomination 'pièces de machines'. 40

NICE: Oh! C'est très bien, mais ça ne va pas être légal, ça.

TOULON: Oh! Vous savez! Si on ne marchait que dans la légalité, nous serions tous morts.

Ce type d'écoute entraînait une descente de police dans les heures qui suivaient. 45

Une lettre tragique pour les États-Unis, celle-ci: 'C'est probablement ma dernière lettre de ce monde. Au moment où ces lignes arriveront en votre possession, nous serons déjà à . . . Dieu seul le sait. Les déportations en Pologne sont déjà mises à exécution dans nos parages. Des scènes indicibles et inimaginables se jouent 50 quotidiennement. C'est notre tour maintenant.'

On écrit beaucoup – les familles sont séparées – on s'inquiète, on survit au jour le jour, on essaie de prévoir l'avenir. Les Français n'expriment pas une grande confiance dans le gouvernement de Pétain, et, à quelques collabos près, une solide haine antiboche 55 transpire dans les lettres et les conversations téléphoniques.

[texte abrégé]
Libération

━━━━━━━━━━━━━━━━━━━━━━━━━━━━━

1 well-known French writers of the period

Vocabulaire

la bouffe *food; grub*

la caisse *crate*

le collabo (abbr) *collaborator*

la combine *fiddle, swindle*

compulser *to read through*

dactylographier *to type (out)*

le fonctionnaire *civil servant*

fouiller *to rummage, search through*

la haine *hatred (cp. haïr to hate)*

hargneux(-se) *peevish, ill-tempered*

indicible *unspeakable*

morne *gloomy*

les parages (m pl) *neighbourhood*

pelure: le papier pelure *onion paper*

près: à ... près *apart from, but for*

recoller *to reseal*

réprimer *to stamp out*

le rouleau(x) *cylinder (here)*

le sondage *survey*

tantôt ... tantôt ... *sometimes ... sometimes ...*

A Répondez aux questions suivantes en français:

1 Qu'est-ce que ces fonctionnaires avaient fait avant d'être employés aux centres postaux?

2 Qu'est-ce qu'ils ne devaient jamais oublier de faire en recopiant une lettre?

3 Pourquoi recollaient-ils si soigneusement les enveloppes?

4 Quelle autre fonction remplissaient-ils aux centres postaux?

5 Pourquoi prospérait le marché noir à cette époque?

6 Quel était le but principal de Vichy en espionnant les Français en zone libre?

7 Quels renseignements est-ce que les Allemands, avec qui Vichy collaborait, trouvaient particulièrement utiles? Pourquoi?

8 Pourquoi écrivait-on tant de lettres à cette époque?

B Cherchez l'équivalent français des mots et des expressions suivants:

in full

to keep within the law

to live one day at a time

to take the trouble to

provincial France

people were not aware of

to know about

nobody must suspect

C Dans les chapitres précédents et ailleurs vous aurez trouvé les prépositions/locutions prépositives ci-dessous suivies de *l'infinitif du verbe*:

afin de/pour *in order to, so as to . . .*   sans *without . . .*
au lieu de *instead of . . .*   de peur de *for fear of . . .*
avant de *before . . .*   loin de *far from . . .*

'Après' est toujours suivi de l'*infinitif passé*:
après les *avoir repéré*(e)s
après y *être retourné*(e)
après *nous être renseigné*(e)s sur . . .

Complétez les phrases suivantes (qui se rapportent au texte) en utilisant convenablement les prépositions/locutions prépositives ci-dessus:

exemple   Vichy a recruté des milliers de militaires démobilisés . . . les Français de la zone libre.
réponse POSSIBLE   Vichy a recruté des milliers de militaires démobilisés *pour surveiller clandestinement* les Français de la zone libre.

1   Après y . . . , les fonctionnaires ouvrent les enveloppes.
2   De nos jours on photocopierait les lettres . . . à la machine.
3   Après . . . les fonctionnaires remettent les lettres en circulation.
4   Les destinataires lisent leur courrier . . . qu'on l'a ouvert illégalement.
5   On espionnait les Français en zone libre . . . le marché noir et . . . les résistants, les gaullistes.
6   . . . l'Histoire, les Français la subissaient.
7   . . . en Pologne, ce Juif a envoyé une dernière lettre à des amis en Amérique.
8   Les résistants ne font pas mention dans leurs lettres . . . par les Allemands.
9   A cette époque, . . . membres de leurs familles, les Français écrivent beaucoup de lettres.

3   Après bien des péripéties Joseph et Maurice retrouvent leurs parents et leurs frères à Nice, dans la zone occupée par les Italiens.

Lisez attentivement le texte suivant, puis dressez une liste des vingt mots qui manquent, en utilisant convenablement le vocabulaire ci-dessous:

échange	verbes	fait	qui	nouveaux
guerre	études	soupir	mal	viennent
train	parmi	grammaire	s'arrêta	participes
rentré	temps	battre	amitié	savoir

L'un des [1] _____ habitués du bar, un garçon très réfléchi, très doux et qui avait fait des [2] _____ de comptabilité dans une école de Milan m'avait pris en [3] _____.

Il était assis cet après-midi en [4] _____ de travailler en français à l'aide d'un dictionnaire et d'une [5] _____ qui lui avait été fournie par un élève en [6] _____ de cigarettes.

Il nous sourit et je m'installai à sa table. Il espérait [7] _____ parler français avant la fin de la guerre ce [8] _____ lui permettrait, une fois [9] _____ dans son pays, d'avoir un poste plus important, il était du genre laborieux.

J'avais du [10] _____, ne la connaissant pas parfaitement moi-même, à lui expliquer la règle des [11] _____ passés et je suais sang et eau sur l'accord avec les [12] _____ pronominaux, lorsque avec un [13] _____ il referma le livre.

'On va s'arrêter, Jo, de toute façon, je n'aurai pas le [14] _____. Nous partons tous, tous les Italiens. Si on [15] _____ la paix séparée avec l'Amérique, on va se trouver en [16] _____ avec les Allemands, alors il va falloir partir se [17] _____ dans notre pays . . . Et si nous partons, c'est les Allemands qui [18] _____.

Le 10 septembre, un train [19] _____ en gare et un millier d'Allemands en descendirent. Il y avait des SS et des civils [20] _____ eux, des hommes de la Gestapo.

[texte abrégé]
Joseph Joffo, *Un Sac de billes*
Éditions Jean-Claude Lattès, 1973

■■ Deuxième partie

1 Le Passé simple

Il est normal que ce temps, *qui n'a aucun contact avec le présent*, s'emploie dans les récits historiques et dans les romans.

Vous aurez remarquez plusieurs exemples de ce temps dans l'exercice ci-dessus:

- «Il nous *sourit* et je *m'installai* à sa table . . .»
- «. . . il *referma* le livre . . .»
- «. . . un millier d'Allemands en *descendirent* . . .»

Dans les récits le passé simple, *employé surtout aux troisièmes personnes (il(s)/elle(s))*, fait contraste avec le passé composé, *réservé d'habitude aux dialogues*, et avec l'imparfait.

A Après avoir vérifié la formation du passé simple, refaites les deux paragraphes suivants en remplaçant le passé composé par le passé simple (sauf dans les dialogues):

exemple Du couloir il a vu la vieille dame qui tricotait patiemment. Il est entré sans bruit. Quand elle l'a aperçu, elle a eu un mouvement pour se lever. 'J'espère que je ne vous ai pas fait attendre,' a-t-il dit en souriant.

réponse Du couloir il *vit* la vieille dame qui tricotait patiemment. Il *entra* sans bruit. Quand elle *l'aperçut*, elle *eut* un mouvement pour se lever. 'J'espère que je ne vous ai pas fait attendre,' *dit*-il en souriant.

1 Soudain, il y a eu une explosion assourdissante. Les deux officiers qui prenaient un apéritif devant le café se sont levés d'un bond et se sont mis à courir vers la place d'où s'élevait un nuage de fumée noire. Pris de panique, nous sommes descendus à la cave. 'Les terroristes ont encore frappé!' a grommelé mon père.

2 Enfin le pilote de l'hélicoptère de sauvetage a aperçu le bateau de pêche et les projecteurs ont repéré les deux pêcheurs agrippés au gréement. Mais à ce moment-là une nouvelle rafale a atteint l'hélicoptère et le pilote les a perdus de vue. Il lui a fallu encore une demi-heure pour les prendre à bord. Dès qu'il a atterri, les pêcheurs épuisés ont été transportés à l'hôpital.

2 **Les Pronoms démonstratifs**

	s	pl
m	celui	ceux
f	celle	celles

Ces pronoms sont normalement suivis de:

1 De:

... le nom de l'expéditeur et *celui* du destinataire ... *(that of the addressee, the addressee's)*

Ces résultats soutiennent la comparaison avec *ceux* des autres partis. *(those of ...)*

2 Qui/que/dont:

Quelle femme? – *Celle* dont nous parlions tout à l'heure. *(the one ...)*

Les fonctionnaires qui lisent les lettres, recopient *celles* qui sont intéressantes. *(those, the ones which ...)*

3 -Ci/-là:

Je préfère ce restaurant-ci à *celui-là*. *(that one)*

... une lettre tragique, *celle-ci* ... *(this one)*

NB Celui-là, etc. signifie aussi *the former*.

Celui-ci, etc. = ce dernier, etc. = *the latter*.

Reynaud céda la place à Pétain. *Celui-ci*, constatant la victoire allemande, fit demander ... *(the latter)*

Des deux vins je crois qu'il préfère *celui-là*. *(the former)*

A Sans recopier les phrases ci-dessus, faites une liste des pronoms démonstratifs qui manquent:

exemple On dit que _____ qui vient d'entrer est le neveu de préfet.

réponse ... celui ...

1 Dès juillet 1940, la langue française était interdite en Alsace-Lorraine, on ne devait parler que _____ des vainqueurs.

2 Quant aux prisonniers français, _____ qui n'avaient pas réussi à s'évader, furent transportés en Allemagne.

3 Le 23 juin 1940, les Anglais firent savoir qu'ils ne considéraient plus le gouvernement de Bordeaux comme _____ d'un pays indépendant.

4 Quand Pétain rencontra Hitler en octobre, _____ n'était nullement disposé à faire de réelles concessions.

5 Au cours de l'été les entreprises allemandes commencèrent à recruter des travailleurs spécialisés en leur promettant des conditions de vie nettement supérieures à _____ qui existaient en France.

6 Après la création du Service du travail obligatoire en 1943, des sanctions sévères attendaient _____ qui refusaient de partir travailler en Allemagne.

7 Ni les Allemands ni les résistants ne manquaient de courage, mais _____ étaient mieux armés que _____.

8 A cette époque-là, le sort des communistes était presque aussi affreux que _____ des Juifs.

9 En ce qui concerne la nourriture, les rations des Français étaient inférieures à _____ qui étaient allouées aux occupants.

3 Traduisez en anglais la première partie du 'Arrivée à Dax' à la page 103 depuis 'Le train roule encore quelques mètres . . .' jusqu'à '. . . les Allemands bloquent les issues.'

4 Traduisez en français le passage suivant:

En France

Encouraged by the entry into the war of the United States, the crushing defeats suffered by the Germans on the Eastern front and the Allies' victories in North Africa, the French were feeling[1] more hopeful about the future.

They would have to[2] wait another[3] two years before being liberated. In the meantime, life was getting harder, both in the occupied zone and in the free zone where German forces had arrived shortly before in order to protect their southern flank.

Assisted by the Militia and the French police, the Germans pursued relentlessly all those who were members of the Resistance or the communist party, and they had begun to take reprisals by shooting or hanging the innocent civilians they had taken hostage.

---

1 'sentir' ou 'se sentir'?   3 comparer: Encore un verre?
2 comparer: il lui faut partir

Vocabulaire utile

l'entrée (f) en guerre   écrasant   optimiste quant à   pendant ce temps
la Milice   chasser implacablement   le parti   exercer des représailles (f pl)
fusiller   prendre qn en otage (m)

5 Écrivez un paragraphe (60–80 mots) en réponse à chacune des
questions suivantes:

A D'après ce que vous avez lu dans les textes 'Un Sac de billes' et
'Arrivé à Dax', quelles sont vos impressions de Joseph et Maurice?

B Expliquez le désarroi moral des Français pendant l'Occupation.

Chapitre *10*
La Publicité

■■ Première partie

1   Lisez attentivement le texte suivant avant d'aborder les exercices.

Feriez-vous un bon publicitaire?

Pour le savoir, commencez par une imposture. Vous voulez vendre un   1
produit? Rédigez vous-même, et d'avance, les lettres d'utilisateurs
'reconnaissants'. Aujourd'hui, je vous propose de vanter une lotion
capillaire. Appellation commerciale: SÈVE. Boniment (classique): En
quelques jours, la célèbre SÈVE, à base de veau et de moelle d'autruche,   5
redonne force et vigueur à vos cheveux, par la racine. Plus de 20 000
attestations indiscutables, etc.

Vous en inventerez d'autres. En attendant, je vous lègue quelques
échantillons (peu remaniés):

De Dijon, le 10 mars ...   10

'Messieurs, sans causes apparentes, mon front s'était dégarni. Sur le
conseil d'un camarade, régénéré par votre poudre, j'ai essayé votre
SÈVE. Je commençai un dimanche, continuai le lundi, et tous les jours
jusqu'au quatrième dimanche. J'ai retrouvé TOUS mes cheveux! Et aussi
drus, alertes que par le passé. Jugez-en par les portraits que je vous   15
adresse, et qui montrent, l'un, un homme (moi) AVANT, l'autre, le
même homme APRÈS.'

Le bref (mode énigmatique):

'Mes cheveux sont plus longs que ne l'indique la longueur de ma
lettre, et ma reconnaissance est plus grande que mes cheveux: de   20
combien ont-ils poussé?'

La grand-mère (mode guilleret):

'Si vous saviez comme mes petits-enfants vous sont reconnaissants

Draw up / Draft

depuis que le renouveau de vigueur de mes cheveux a préludé au
réveil de mon esprit. Je me coiffe comme à 40 ans. C'est une   25
deuxième vie qui commence. Tout le monde vient me voir. Je suis
passée à l'état de phénomène, et j'en connais plus d'un qui demande:
Comment peut-on être si chevelu?

PS Envoyez-moi du monde. Je garantis vos ventes! Ma reconnaissance
durera autant que ma vie (j'ai 98 ans).'   30

Je n'ai pas inventé grand-chose, vous trouverez dans tous les journaux
de tels témoignages.

[texte adapté]
Le Figaro

Vocabulaire

l'autruche (f) *ostrich*

le boniment *sales talk*

capillaire: la lotion capillaire *hair tonic*

se dégarnir: mon front se dégarnit *my hairline is receding*

dru *thick*

l'échantillon (m) *sample*

guilleret-te *perky*

indiscutable *indisputable*

léguer *to pass on (here); bequeath*

la moelle *marrow*

rédiger *to write (here)*

remanier *to alter*

la sève *sap; vigour*

vanter *to praise*

A Expliquez en français les expressions suivantes:

1 les lettres d'utilisateurs 'reconnaissants' (lignes 2–3)
2 attestations indiscutables (ligne 7)
3 régénéré par votre poudre (ligne 12)
4 le réveil de mon esprit (ligne 25)
5 je suis passée à l'état de phénomène (lignes 26–7)

B On vous a proposé de vanter sûrpied: produit capable de soulager les souffrances de tous ceux qui ont régulièrement les pieds fatigués ou endoloris.

Cette crème multi-active réveille et oxygène la peau des pieds et revitalise les muscles. Elle reconstitue ainsi les défenses naturelles. Celui qui utilise ce remarquable remède thérapeutique ressent toujours une impression de bien-être.

Rédigez d'avance la lettre (70–90 mots) d'un utilisateur / d'une utilisatrice 'très reconnaissant(e)'.

2   Lisez attentivement le texte suivant avant de faire les exercices.

Les athlètes de haut niveau – nouveaux champions de la publicité

As du ballon rond ou ovale, de la perche, de la raquette de tennis ou   1
du patinage, les vedettes des stades sont devenues les meilleures
'locomotives' de la consommation.

   Des pots d'échappement aux parfums et aux vêtements, des
confiseries aux rasoirs, les publicitaires semblent prêter aux stars du   5
sport le talent de tout faire vendre. Carl Lewis se fait moine pour la
Xantia activa de Citroën. Noah et sa compagne s'affichent pour la
marque du prêt-à-porter Morgan. Après Jean-Pierre Papin, Eric et Joël
Cantona vanteront de nouveau les rasoirs Bic le mois prochain . . .

   L'intérêt des publicitaires pour les grandes figures du sport ne date   10
pas d'hier mais semble aller grandissant depuis quelques mois . . . Signe
des temps, l'agence de mannequins Marilyn Gauthier a jugé nécessaire
d'ouvrir, il y a un peu plus d'un an, un département sportif, 'Les tops
du sport'. Le perchiste Jean Galfione a déjà défilé pour Christian Dior
et Chanel, servi de modèle pour des photos de mode et figurera   15
prochainement dans une campagne publicitaire.

   'L'idée m'est venue des États-Unis, où, depuis trois ou quatre ans
surtout, les sportifs sont omniprésents dans la publicité,' explique
Marilyn Gauthier. 'Ici aussi, ils sont dans l'air du temps . . .' Ils ont
d'abord signés des contrats de sponsoring pour leur tenues et   20

116

équipements. Puis les sponsors ont eu l'idée de les faire directement figurer dans leurs campagnes publicitaires. Désormais, les athlètes font de la publicité pour tout à fait autre chose, des produits de grande consommation. Pour les hommes du marketing, il s'agit évidemment de faire rejaillir sur leurs produits les qualités reconnues aux champions. 25

'Vitalité, séduction, excellence, et surtout santé et jeunesse, dans une société qui s'effraie de la mort, de la maladie, du temps qui passe,' résume David Le Breton, sociologue, professeur à l'université de Strasbourg. 'D'où la fascination qu'exerce le champion sportif. Le phénomène d'identification qu'il génère est d'autant plus fort que, contrairement au 30 mannequin, le sportif est un mythe "démocratiqué", dont on se sent proche. On va l'encourager au stade, on l'imite en courant le dimanche, on le voit constamment à la télévision en gros plans, on nous raconte ses déboires, ses fragilités durant les compétitions.'

Au même titre que d'autres célébrités (Gérard Depardieu pour les 35 pâtes, Luciano Pavarotti pour le café), ces grands du sport démultiplient l'impact de la communication. Certains d'entre eux sont tout autant des stars que les grands comédiens ou chanteurs. Et, contrairement à eux, ils ont pour les publicitaires l'avantage d'apparaître quotidiennement dans l'actualité, du fait de 40 l'omniprésence du sport à la télévision et sont l'assurance de toucher une cible très large.

[texte adapté]
Le Monde

Vocabulaire

s'afficher *to parade; show off*
la cible *target*
la confiserie *sweets; confectionery*
la déboire *disappointment, setback*
échappement: le pot
  d'échappement *silencer; exhaust*

la 'locomotive' *pace-setter*
le moine *monk*
la perche *pole; pole-vaulting*
rejaillir *to reflect on; to be shared by*
la tenue *dress; clothes*

A Cherchez l'équivalent français des mots et expressions suivants:

all the more . . . because . . .
from now on
from which comes . . .
off the peg
just over a year ago

in close-up
I got the idea from . . .
unlike them
is not something new
something quite different

B Sans changer le sens général des phrases ci-dessous, exprimez-les en d'autres termes en vous servant des mots et expressions entre parenthèses:

exemple   Certains d'entre eux sont tout autant des stars que les grands comédiens ou chanteurs.   (quelques-uns – athlètes – célèbre – grands comédiens ou chanteurs)

réponse   Quelques-uns de ces athlètes sont tout aussi célèbres que les grands comédiens ou chanteurs.

1 L'intérêt des publicitaires pour les grandes figures ne date pas d'hier.   (depuis longtemps – champions sportifs – s'intéresser à – publicitaires)

2 Les publicitaires semblent prêter aux stars du sport le talent de tout faire vendre.   (ceux qui font – persuadé – paraît-il – capable – produits – faire vendre)

3 Désormais, les athlètes font de la publicité pour tout à fait autre chose.   (l'avenir – vanter – produits – rien à voir avec)

4 Ils ont pour les publicitaires l'avantage d'apparaître quotidiennement à l'actualité.   (ce qui avantage – tous les jours – stars du sport – dans les médias – faire mention de)

5 Ils sont l'assurance de toucher une cible très large. (participation – publicité – ces stars – publicitaire – vaste public – toucher)

C *Modèle à suivre*

■ «. . . dans une société qui *s'effraie* de la mort de la maladie . . .»
ce *dont* elle *s'effraie*, c'est la mort
elle *s'en* effraie

Il est évident que les pronoms 'en' et 'dont' ont un rôle important à jouer dans les phrases où l'on emploie des verbes tels que 'se préoccuper de'.

En voici d'autres:

s'apercevoir de qch   se moquer de qn/qch   se servir de qn/qch
s'informer de qch   s'occuper de qn/qch   se souvenir de qn/qch
se méfier de qn/qch   se plaindre de qn/qch

NB En parlant des *personnes*, il ne faut pas employer 'en'. Comparez 'je m'en souviens' (en = de l'incident, des vacances, etc. = *it, them*) avec 'je me souviens de lui, d'eux, d'elle(s)' (= *him, her, them*).

Complétez convenablement les phrases suivantes en utilisant les verbes entre parenthèses:

exemple   Magali est menteuse. A ta place, je _____ (se méfier de)

réponse   Magali est menteuse. A ta place, je me méfierais d'elle.

1 Il y a des plaques de verglas. Vous auriez dû _____ (se méfier de)

2 Dans son thème, il y avait des erreurs _____ le professeur _____. Heureusement!   (ne pas) (s'apercevoir de)

3 C'était un accueil inoubliable. Je _____ toujours.   (se souvenir de)

4 Sa santé les inquiète. Ils _____ ce matin.   (s'informer de)

5 La machine à laver étant défectueuse; on nous a conseillé de _____ au fabricant.   (se plaindre de)

6 Si vous _____ le produit, les publicitaires auraient été furieux.   (se moquer de)

7 J'espère que l'affaire _____ je _____ en ce moment, sera rentable.   (s'occuper de)

8 Elle avait un dictionnaire. Si elle _____, elle aurait eu une meilleure note.   (se servir de)

3 Sans recopier le texte suivant, faites une liste des vingt mots qui manquent. Utilisez convenablement ceux qui suivent:

paniers	jeu	boissons	abonnés	offre
expéditions	région	minérale	gamme	queues
élevés	suffit	domicile	heures	temps
soir	autre	viser	surfaces	bras

Caddies à domicile

Une corvée, les courses? Vous me faites rire. Il me [1] _____ de pianoter.

Fini les longues [2] _____ au supermarché qui confisquent l'après-

midi du samedi, les lourds [3] _____ à bout de [4] _____,
le cauchemar des cartons d'eau [5] _____. Grâce au Minitel, nourrir
sa famille est devenu un [6] _____ d'enfant en [7] _____
parisienne. Les branchés découvrent les charmes de la livraison à
[8] _____.

Pour une commande minimale de 300 francs, Caditel promet à ses
[9] _____ une livraison dans les 24 [10] _____. Selon ses
promoteurs, l'abonnement permet de respecter scrupuleusement les délais
et [11] _____ de multiples garanties au client. Telemarket affirme
[12] _____ une clientèle plus large. Leurs prix sont cependant voisins:
10 pour cent plus [13] _____ que ceux des hypermarchés mais
relativement proches des prix des grandes [14] _____ parisiennes.
Leurs catalogues offrent une [15] _____ étendue de produits
d'épicerie, de [16] _____ avec de temps à [17] _____ des
promotions ou des offres spéciales. 'Je passe mes commandes le
[18] _____, lorsque les enfants sont couchés,' dit Laure. 'Fini les
grandes [19] _____ familiales en auto. J'économise du [20] _____
et de l'essence.'

[texte abrégé]
Le Nouvel Observateur

■■■ Deuxième partie

1   Les Verbes impersonnels

Les verbes impersonnels sont ceux qui s'emploient à la troisième
personne du singulier, sans relation à un sujet déterminé.

M. Grévisse, *Le Bon Usage*

Notes

1   On s'en sert *en parlant du temps et des heures du jour*:

Il fait du brouillard.   Il a neigé cette nuit.
Il faisait noir.   Il était midi passé.
Il va pleuvoir.   Il est deux heures précises.

2   On emploie très souvent la locution 'il y a':

Il n'y en avait plus.
Il pourrait y avoir un orage.

Il y a eu/Il y eut un accident.

Il n'y aurait pas de raison de le faire.

3 'Être' s'emploie de façon impersonnelle avec de nombreux adjectifs:

C'est/Il est *important* d'agir promptement.

Il sera *nécessaire* de vérifier . . .

Il aurait été plus *prudent* de ne rien dire.

Il est fort *possible* qu'il vienne demain.

Il était *probable* qu'il partirait le même soir.

4 Les verbes suivants s'emploient de façon impersonnelle dans certaines locutions:

s'agir (deux sens): il s'agit/s'agissait de + inf (*it is/was a question/matter of . . .*) ou (*it is/was necessary to . . .*)

aller: il va de soi que . . . (*it goes without saying that . . .*)

convenir: il convient de + inf/il convient que + subj (*it is advisable, fitting*)

importer: il importe de + inf/il importe que + subj (*it is essential, important*)

manquer: il lui manquait vingt francs/la force de . . . (*to lack, be short of, be missing*)

paraître: il paraît qu'ils adorent les animaux; il me paraissait inutile d'attendre; à ce qu'il (me) paraît

rester: il leur restait encore dix minutes/deux chèques de voyage (*to have left, remain*); il ne reste plus qu'à + inf

sembler: il me/nous semblait que . . . (MAIS il semble/semblait que + subj)

suffire: il suffit/suffisait de + inf (*one has/had only to, it is/was enough to . . .*); il suffit d'y jeter un coup d'œil pour savoir que . . .

valoir: il vaut/valait/vaudrait mieux + inf (*it is/was/would be better to . . .*)

5 Le verbe 'falloir' est toujours employé impersonnellement.

N'oubliez pas que 'falloir' signifie *'to be necessary'* ou *'have to, must'*.

A Complétez les phrases suivantes en insérant, au temps convenable, la locution 'il y a'. Remplacez par le pronom 'en' les mots et les expressions soulignés:

exemples

1 . . . déjà du monde, quand je suis arrivé.

2 'Ne . . . pas <u>de courrier</u>?' demanda-t-il.

réponses

1 *Il y avait* déjà du monde, quand je suis arrivé.

2 'N'*y en a-t-il* pas?', demanda-t-il.

1 Un de ces jours . . . un <u>emploi</u> pour tout le monde.

2 J'ai appris que . . . un accident dans la rue principale la veille au soir.

3 Soudain . . . une forte détonation: tous les passants se retournèrent.

4 . . . ne . . . pas un instant à perdre; le rapide entrait déjà en gare.

5 J'espérais que . . . <u>des réponses</u> le lendemain.

6 Il paraît qu'il pourrait . . . encore une campagne publicitaire le mois prochain.

7 Si l'on n'avait pas télévisé le match en direct, . . . des protestations véhémentes.

8 Quoique . . . toujours beaucoup à faire, il vaudrait mieux faire une pause.

9 Pourquoi . . . si peu d'offres d'emploi?

10 J'espère bien que . . . <u>des offres d'emploi</u> dans l'édition de mardi prochain.

B Sans changer leur sens général, refaites les phrases suivantes en vous servant des verbes impersonnels entre parenthèses:

exemple   Ce candidat n'a pas l'assurance que nous cherchons. (manquer)

réponse   *Il manque à ce candidat* l'assurance que nous cherchons.

1 J'ai l'impression qu'on voit trop de publicité à la télévision. (sembler)

2 On n'avait qu'à lire le prospectus. (suffire)

3 Il serait préférable de sélectionner les candidats sur tests. (valoir mieux)

4 Pour compléter la formation il était nécessaire de passer une épreuve écrite. (falloir)

5 La pluie tombait à verse quand il est rentré. (pleuvoir)

6 J'ai mis au moins deux heures à faire ces exercices. (falloir)

7 Ils avaient toujours beaucoup à faire. (rester)

8 Il était maintenant question de remplir le formulaire. (s'agir)

9 Sa réputation était en jeu. (y aller de)

10 Il sera obligé de faire un stage à l'étranger. (falloir)

122

C Utilisez les mots et les expressions suivants pour faire des phrases se rapportant aux textes que vous venez de lire dans la première partie du chapitre. (N'hésitez pas à changer leur forme grammaticale, en cas de besoin.)

exemple – pas satisfait – possible de changer – produit – être remboursé

réponse POSSIBLE   Si vous n'êtes pas satisfait, il vous sera possible de changer ce produit ou d'être remboursé.

1   – téléphone portatif – indispensable – il est important de – famille – amis – où que vous soyez – garder le contact.

2   – évident que – lettres d'utilisateurs – pouvoir – les ventes – produit – favoriser.

3   – (pas) difficile de – ce que – mettre en vente – persuader le grand public – indispensable.

4   – toujours nécessaire de – marque de voiture pour laquelle – faire de la publicité – capable – performances remarquables – démontrer.

5   – vrai que – stars du sport – prier de participer à – campagne publicitaire – aucun rapport avec – sport – pratiquer.

6   – normal que (+ subj) – spectateurs – s'identifier à – avoir tendance à – leurs champions – paraître à la télévision – constamment.

7   – possible que (+ subj) – nuisible pour – publicité – accros du petit écran – influence exercée par.

8   Il serait surprenant que (+ subj) – prendre au sérieux – publicité – grosses entreprises – être d'un grand profit.

2   Lequel, laquelle

	s	pl
m	lequel	lesquel
f	laquelle	lesquelles

Formes contractées: auquel, duquel
auxquels, desquels
auxquelles, desquelles

Notes

1 Pronom interrogatif:

Lequel de ces tableaux préférez-vous?

Laquelle de ces peintures préférez-vous?

Lesquels des élèves ont été reçus en math?

2 Pronom relatif:

Employé d'habitude après une préposition/une locution prépositive *quand l'antécédent est une chose.*

... le stylo *avec lequel* il signe la lettre.

... l'idée *à laquelle* il pensait depuis longtemps.

... la rivière *le long de laquelle* il se promenait.

3 Quand l'antécédent est une personne, on emploie 'qui':

... la jeune fille *avec qui* il dansait ...

... le gendarme *à l'aide de qui* il a changé la roue ...

(MAIS ... les invités *parmi lesquels* il remarqua Xavier ...)

N'oubliez pas que 'de', employé seul, est remplacé par 'dont'.

A Dressez une liste des pronoms qu'il faut insérer pour compléter les phrases suivantes. Il s'agit de choisir parmi 'qui', 'que', 'dont' et 'lequel', etc.:

exemple   ... de ces portables voulez-vous?

– Celui ... me fera gagner du temps.

réponse   ... lequel ... qui ...

1 ... des destinataires vont se laisser prendre par cette publicité?
   – Ceux ... la naïveté les rend crédules.

2 Il regardait un film au cours de ... on passait de la publicité six fois.

3 Vous dites que vous avez abordé trois des questions. ... avez-vous pu répondre?

4 Il y avait tant de jolies robes: elle ne savait pas ... acheter.

5 En ouvrant l'enveloppe, il trouva un chèque grâce ... il pourrait payer ses dettes.

6 Les marchands avec ... nous traitions se plaignaient de la qualité de notre produit.

7 C'est une décision ... ils ont approuvée.

8 Ensuite viendra un stage ... ils auront tous besoin.

9 Je me demandais ... des deux programmes ils choisiraient.

10 C'est un truc promotionnel au moyen de ... les publicitaires espèrent attirer bon nombre de clients.

3 Refaites les phrases suivantes en remplissant convenablement les blancs. Voici douze locutions prépositives, mais vous en utiliserez dix seulement:

à partir de	à la recherche de	à force de
au sujet de	à cause de	à l'intention de
au moyen de	en face de	au cours de
grâce à	au-delà de	faute de

1 ... Minitel, il ne lui fallut plus de cinq minutes pour trouver leur adresse.

2 ... le premier juin, les tarifs augmenteront.

3 On a dû annuler le concert en plein air ... le mauvais temps.

4 C'est un manuel qu'elle a écrit ... les grandes classes.

5 ... la traversée, il fit la connaissance de deux étudiantes espagnoles.

6 L'équipe de sauvetage est partie ... les deux alpinistes français.

7 ... preuves, le commissaire a relâché l'accusé.

8 Jusqu'ici il n'a rien dit ... notre visite.

9 Il est parvenu à l'ouvrir ... un ciseau.

10 ... patience, ils franchiront ce dernier obstacle.

4 Traduisez en anglais les deux derniers paragraphes de 'Les athlètes de haut niveau – nouveaux champions de la publicité' à la page 117 depuis 'Vitalité, séduction, excellence ...' jusqu'à '... toucher une cible très large.'

5 Traduisez en français le passage suivant:

Accès immédiat

According to some of our fellow countrymen, it is possible that the consumer society is[1] the inevitable consequence of the advertising campaigns to which we have been exposed for[2] many years.

The impact of a commercial is, of course, all the greater because we can actually see the satisfied customer, radiating happiness, who steps into his brand new Renault or who, after swallowing two little white tablets, recovers, as if by magic, from a bout of indigestion.

At the same time, it appears that payment poses no problem. Nothing simpler. It is only a matter of giving, by phone, your credit card number[3]. In[4] a very short space of time the product is yours.[5]

1 indicatif ou subjonctif?

2 Notez bien le temps du verbe dans les phrases suivantes:

il y travaille *depuis* deux ans *(has worked, has been working)*

il y travaillait *depuis* deux ans *(had worked, had been working)*

3 'nombre' ou 'numéro'?

4 'en' ou 'dans'?

5 comparer: ce livre lui appartient/est à lui

Vocabulaire utile

le concitoyen   le message publicitaire   en fait   rayonner de
se remettre de   comme par miracle   la crise de foie   le délai

6   Écrivez 150 mots environ sur le sujet suivant:

'La publicité est un mal nécessaire.' Partagez-vous cet avis?

Chapitre *11*
Les Clandestins

■■■ Première partie

1 Lisez attentivement les deux passages suivants, puis faites les exercices.

Les Clandestins

L'immigration clandestine est un phénomène commun à tous les pays   1
industrialisés. Tous luttent contre elle et, s'ils ont réussi à la freiner,
aucun ne l'a arrêtée. C'est qu'elle est inscrite dans le déséquilibre de
l'économie mondiale. Il y a des pays où l'on vit correctement, comme
le nôtre. Et des pays où tout est précaire: le travail, les équipements   5
publics et même la nourriture. Les premiers exercent sur les seconds
une fascination irrésistible. Les plus débrouillards tentent leur chance
de passer des zones défavorisées vers les autres.

[extrait]
Le Nouvel Observateur

Vocabulaire

correctement *decently*	les équipements (m pl) *facilities*
débrouillard *resourceful*	*(here)*
	lutter contre *to combat*

Fièvre migratoire en Roumanie

L'image idyllique de l'Ouest s'est estompée. Ils savent qu'ils n'y sont pas   1
bienvenus. Pourtant, ils sont prêts à prendre tous les risques.

C'est presque devenu une obsession: 'J'attends quelques jours et je
repars en Allemagne ou en France. En Roumanie, je n'ai pas d'avenir.'
Depuis des années, Marian nourrit le même rêve: quitter son pays   5
d'origine – 'par n'importe quel moyen' – et tenter sa chance – 'n'importe

où à l'Ouest.' Pour l'heure, il tourne en rond sous les lumières blafardes de la salle d'arrivée de l'aéroport international de Bucarest. Expulsé d'Allemagne quelques heures auparavant, il attend, avec une quarantaine d'autres compagnons d'infortune, que la police roumaine des frontières ait vérifié son identité et son casier judiciaire avant de le laisser partir dans la nuit. Un maigre sac de voyage sur l'épaule, il parcourra ensuite à pied la dizaine de kilomètres qui le séparent de la gare de Bucarest. Direction: l'appartement familial surpeuplé, dans l'une des cités ouvrières d'Arad, sa ville natale, proche de la Hongrie.

Les rêves de ce jeune ouvrier de 25 ans se sont provisoirement évanouis trois jours auparavant, sous les feux croisés des projecteurs d'une patrouille de policiers allemands, alors qu'il tentait de passer illégalement à pied la frontière germano-polonaise. 'Il n'y a pas de recette infaillible, juste quelques tuyaux sur les talents de tel ou tel passeur polonais,' commente-t-il. Des talents qui se monnayent en fonction de la sécurité du trajet suivi, entre 50 et 600 deutschemarks (de quelque 175 à 2 000 francs). Retenu 36 heures dans un commissariat allemand, son périple à l'Ouest s'est terminé à l'aéroport de Berlin, où un charter rempli de clandestins l'a ramené à son point de départ.

Son aventure avait commencé une semaine plus tôt. Comme des milliers d'autres Roumains avant lui, il avait rejoint en train la Pologne 'via' la Hongrie et la Slovaquie. Cette voie, qu'on peut emprunter sans visa, est devenue au fil des mois le corridor de l'émigration clandestine roumaine.

C'est donc vers la Pologne qu'il songe à repartir: il traversera l'Oder à la nage plutôt que de franchir la frontière à pied et, avec un peu de chance, il pourra atteindre la France, où, affirme-t-il, l'attend un travail au noir dans la restauration. Cet optimisme se nourrit de l'expérience d'où il tire sa connaissance du français: dix-huit mois passés en 1990–1991 entre Paris et la côte d'Azur à enchaîner petits boulots et menus larcins jusqu'à un contrôle d'identité fatal et une première expulsion. 'Il y a des risques, mais je gagnerai dix fois plus d'argent qu'ici.' Sa détermination n'a rien d'exceptionnel et son profil ressemble à celui de beaucoup de migrants: jeune, célibataire, sans travail, sans attache familiale et sans propriété . . .

L'émigration clandestine est en passe de devenir le dernier recours des candidats roumains au départ, face au durcissement des législations en Europe de l'Ouest.

[texte adapté]
Le Monde

Vocabulaire

blafard *pale*

le casier judiciaire *police record*

enchaîner *to link (here)*

s'estomper *to become blurred*

le (menu) larcin *(petty) thieving*

monnayer *to convert into cash; to cash*
  in on

passe: être en passe de + inf *to be*
  well on the way to

le périple *journey*

la propriété *possessions; property*

le recours *resort*

la restauration *catering business*

le tuyau(x) *tip (here); pipe, tube*

A Dites si les affirmations suivantes sont vraies ou fausses, et réécrivez celles qui sont fausses en supprimant les fautes:

1 Aucun des pays industrialisés n'a réussi à mettre fin à l'immigration illégale.

2 Les défavorisés mènent une vie moins précaire que les Français.

3 Leur accueil en France pourrait être froid et les Roumains ne sont pas disposés à prendre des risques.

4 Quand l'avion en provenance de Berlin est arrivé à Bucarest, Marian en est descendu.

5 Après avoir parcouru une dizaine de kilomètres à pied il sera chez lui.

6 Dans le train qu'il avait pris pour rejoindre la Pologne, on ne contrôlait que rarement les visas.

7 Toujours optimiste, Marian refuse d'être découragé et il repartira sous peu.

8 Il sait, pourtant, que les gouvernements occidentaux ont adopté une attitude moins tolérante à l'égard des clandestins.

B Quels sont les adjectifs, tirés du texte 'Les Clandestins' à la page 127, qui correspondent aux définitions suivantes?

exemple . . . qui est partagé avec d'autres

réponse commun

1 . . . qui est fertile en ressources

2 . . . privé d'un avantage

3 . . . qui a généralement un caractère illicite

4 . . . relatif à la terre entière

5 . . . qui séduit

6 . . . dont l'existence n'est pas assurée

C Complétez les phrases suivantes, en cherchant dans le texte 'Fièvre migratoire en Roumanie' aux pages 127–8 les détails nécessaires pour donner le sens correct:

exemple   Bien que . . . , il y a de jeunes Roumains prêts à prendre tous les risques . . . à l'Ouest.

réponse POSSIBLE   Bien qu'*ils n'y soient pas bienvenus*, il y a de jeunes Roumains prêts à prendre tous les risques *pour trouver un emploi* à l'Ouest.

1   Une patrouille allemande avait surpris Marian en train de . . .
2   Trente-six heures plus tard, il montait à bord d'un charter qui devait . . .
3   A l'aéroport de Bucarest, la police roumaine . . . avant de lui permettre de partir.
4   Pour rentrer à sa ville natale, Marian . . .
5   Les Roumains qui cherchent à atteindre clandestinement l'Ouest, rejoignent la Pologne en train parce que . . .
6   La prochaine fois, Marian se propose d'essayer la frontière germano-polonaise en . . .
7   Il veut à tout prix retourner en France parce que . . .
8   A moins de . . . , ces jeunes Roumains ont maintenant peu de chances de s'installer à l'Ouest.

2   Lisez attentivement le texte suivant avant d'aborder les exercices.

Une Politique de dissuasion

L'Iliouchine de la compagnie roumaine Tarom, affrété, lundi 10 juillet, par la France pour reconduire à Bucarest 51 Roumains en situation irrégulière n'était pas le premier et ne sera pas le dernier. Le ministère de l'Intérieur prévoit, après le 15 août, d'organiser un vol de ce type par semaine, soit à l'échelon national, soit en collaboration avec d'autres membres de l'Union européenne. Il s'agit de développer une politique de dissuasion des arrivants récents . . .

1

5

Lundi, cet avion d'une centaine de places a fait escale successivement à Paris-Charles-de-Gaulle et à Lyon-Satolas, où 51 Roumains, Tziganes pour la plupart, ont été embarqués vers Bucarest. Des policiers roumains les attendaient à l'intérieur de l'appareil. Le ministre a immédiatement rendu publique cette opération qui marque 'la volonté du gouvernement de ne plus accepter sans réagir l'immigration clandestine. Seule la lutte contre l'immigration clandestine permettra l'intégration des étrangers en situation régulière'. 10 15

Un premier 'charter' de 22 Roumains en situation irrégulière avait suivi le même itinéraire, le 17 juin, mais n'avait donné lieu à aucune publicité. Les personnes reconduites font partie des quelque 1 200 Tziganes roumains arrivés par groupe à Lyon depuis quelques mois. Mal informés, elles n'ont pas – comme la majorité de leurs concitoyens – demandé l'asile politique. 20

Le choix de la Roumanie intervient au moment précis où l'Office français de protection des réfugiés et apatrides intègre ce pays sur la liste des pays 'sûrs'. Conséquence de cette décision, les demandes d'asile formulées par des ressortissants roumains sont certes examinées, mais elles sont rapidement rejetées, 'sauf circonstances exceptionnelles' relevant de la convention de Genève. Quant aux réfugiés roumains installés en France depuis des années, ils perdent cette qualité. 25

30

Les précédents

Le 22 mars, le premier 'charter européen', un Airbus affrété par les autorités néerlandaises, a reconduit dans leur pays une quarantaine de ressortissants zaïrois interpellés aux Pays-Bas, en Allemagne et en France. En décembre 1993, 26 Algériens sans papiers avaient été reconduits à Alger dans un avion privé affrété par le ministre de l'Intérieur. La 'technique' du charter avait été inaugurée le 18 octobre 1986 par le gouvernement Chirac avec l'expulsion vers Bamako de 101 Maliens en situation irrégulière. Edith Cresson, premier ministre, avait déclaré le 8 juillet 1991 qu'elle ne voyait pas d'inconvénient à utiliser cette méthode. 'Une manière de dissuasion,' estimait Jacques Chirac. 35 40

[extraits]
Le Monde

Vocabulaire

affréter *to charter*

l'apatride (m/f) *stateless person*

l'asile (m) *asylum, refuge*

échelon: à l'échelon national *at national level*

interpeller *to take in for questioning*

lieu: donner lieu à *to give rise to*

prévoir de + inf. *to plan to*

le/la Tzigane *gypsy*

A Répondez en français aux questions:

1 Qu'est-ce qui montre que la France est prête à agir seule contre les clandestins?

2 Quel rôle est-ce que les autres pays occidentaux pourraient jouer?

3 Quelle surprise attendait les clandestins embarqués à Lyon?

4 Qu'est-ce que les Tziganes roumains omettaient de faire dès leur débarquement à Lyon? Pourquoi?

5 Pourquoi est-il maintenant peu probable qu'on accorde asile aux Roumains?

6 Et que deviendront les Roumains déjà installés en France depuis des années?

7 Qu'est-ce que le gouvernement Chirac espérait faire en expulsant les Maliens?

B Refaites les phrases suivantes en remplaçant les verbes et les expressions soulignés par des verbes et des expressions ayant le même sens, que vous aurez trouvés dans le texte ci-dessus. Il faudra quelquefois changer leur forme grammaticale.

exemple Le gouvernement <u>a signalé</u> son intention de . . .

réponse Le gouvernement a marqué son intention de . . .

1 Il faut espérer que ces initiatives <u>rendront possible</u> la création de nouveaux emplois.

2 Il <u>était question</u> d'établir son identité.

3 Il a dit qu'il <u>arrangerait</u> tout d'avance.

4 L'avion les avait <u>ramenés</u> à capitale malienne.

5 Ils <u>projetaient</u> de modifier leur politique à l'égard des immigrés.

6 Il <u>s'en était servi</u> pour gagner du temps.

7 Cet incident <u>avait occasionné</u> les bagarres dans les rues du quartier.

8 Le directeur a réussi à <u>incorporer</u> cette nouvelle discipline dans le nouvel emploi du temps.

■ ■ ■ Deuxième partie

1 Interrogation

Lisez attentivement les notes suivantes avant de faire les exercices.

Notes

1 Les formes de qui (pour les personnes):

sujet: QUI (est-ce qui) est arrivé? *(who)*

objet direct: QUI (est-ce *que*) vous cherchez? *(whom)*

suivant une préposition: à QUI, avec QUI, etc.

Les formes de que (pour les choses):

sujet: QU'est-ce qui s'est passé? *(what)*

objet direct: QUE font-ils?

QU'est-ce *que* vous faites?

suivant une préposition: de QUOI, avec QUOI, etc.

De QUOI vous plaignez-vous?

Dans QUOI l'avez-vous caché?

2 Inversion simple, si le sujet est un pronom personnel:

Où va-t-il?

Suis-je en retard?

Êtes-vous d'accord?

Ont-ils fini?

Inversion complexe, si le sujet est un nom:

La voiture est-elle en panne?

Votre père va-t-il mieux?

Les visiteurs ne sont-ils pas encore partis?

Comment les élèves ont-ils trouvé les questions?

3 *'Est-ce que'* s'emploie fréquemment dans la langue écrite (et l'inversion du sujet n'est pas nécessaire):

Est-ce que votre père va mieux?

Est-ce que la voiture est en panne?

Comment *est-ce que* les élèves ont trouvé les questions?

Quand *est-ce que* les nouveaux règlements entrent en vigueur?

4 Locutions utiles:

A quoi bon attendre? *(what is the use/point of . . . ?)*

Pourquoi pas y aller tout de suite? *(what/how about . . . ?)*

A combien sommes-nous de . . . ? *(How far . . . ?)*

Combien y a-t-il d'ici à . . . ? *(How far . . . ?)*

D'où vient que . . . ? *(How is it that . . . ?)*

Depuis quand/combien de temps . . . ? *(How long . . . ?)*

A Exprimez autrement les questions ci-dessous:

exemples

1 Qui avez-vous vu?

2 Pourquoi est-ce que le ministre introduit ces mesures?

réponses

1 Qui *est-ce que* vous avez vu?

2 Pourquoi le ministre *introduit-il* ces mesures?

    1 Comment est-ce que la police fait face à la situation?

    2 Qu'est-ce que vous avez dit?

    3 Qui veut-il voir?

    4 Pourquoi n'est-il pas resté en Roumanie?

    5 Combien est-ce qu'il y a de diplômés en chômage?

    6 Pourquoi est-ce que les pays occidentaux ne leur ont pas donné asile?

    7 Que feront-ils en rentrant chez eux?

    8 Est-ce que tes parents vont assister au concert?

B Quelles sont les questions qui provoquent les réponses suivantes? En les formulant, faites mention des noms représentés par les pronoms soulignés dans les réponses et évitez d'employer 'est-ce que':

exemples

1 Je l'apprends depuis deux ans, monsieur.

2 Si, j'en ai acheté. *Il* est dans le placard.

questions *POSSIBLES*

1 Depuis quand apprenez-vous *l'allemand*?

2 N'as-tu pas acheté *de pain*?

    1 D'ici à Tours? Trente kilomètres à peu près.

2 <u>Ils</u> <u>les</u> ont trouvés à la gare routière.

3 Non, pas encore. <u>Il</u> fait des heures supplémentaires le jeudi.

4 Il <u>lui</u> faudra encore une heure pour <u>la</u> dépanner.

5 <u>Elle</u> vient d'Auxerre, je crois.

6 Je pense à ce que tu as dit ce matin.

7 Parce qu'<u>ils</u> pourraient gagner dix fois plus d'argent <u>ici</u>.

8 A ta place, je continuerais mes études.

9 C'est le professeur qui <u>leur</u> a conseillé d'<u>en</u> faire <u>un</u>.

10 <u>Elle</u> <u>le</u> passera en mai.

2 Le Subjonctif: Emploi

Voir aussi 'Le Subjonctif: Formation' aux pages 96–7. Lisez attentivement les exemples suivants de l'emploi du subjonctif dans les subordonnées:

Il *attend* que la police *ait* verifié son identité.   (attendre que . . . *to wait until*)

C'est (bien) dommage que tu *aies* manqué le vol. (*it is a (great) pity that . . .*)

Il faut les trouver avant qu'il *fasse* nuit. (avant que . . . *before*)

A moins que le train *n'ait* du retard, nous serons à Paris avant midi. (à moins que . . . ne . . . *unless*)

Il a caché les cadeaux *de peur/crainte que* les enfants *ne* les *trouvent*. (de peur/crainte que . . . ne . . . *for fear that, lest*)

Il sera de service *jusqu'à ce que* les autres gendarmes *soient* de retour. (jusqu'à ce que . . . *until*)

A Sans en changer le sens général, refaites les phrases suivantes en utilisant les expressions entre parenthèses:

exemple   Cela me fait très plaisir d'apprendre que ton frère a été nommé professeur.   (*Je suis très content que . . .*)

réponse   Je suis très content que ton frère ait été nommé professeur.

1 Quel dommage! Il ne pourra pas participer au tournoi.   (*C'est dommage que . . .*)

2 Peut-être qu'on lui permettra d'y rester.   (*Il est possible que . . .*)

3 Il espère passer la frontière, mais la police ne doit pas l'apercevoir.   (*sans que . . .*)

4   Ils doivent avoir de bonnes raisons de chercher asile; sinon, on rejettera leur demande.   *(à moins que . . . ne . . .)*

5   Il se fait tard; tout de même, nous ferions mieux de terminer ce rapport à présent.   *(bien que . . .)*

6   Il a besoin de savoir ce qui se passe.   *(Il faut que . . .)*

7   Il vaudrait mieux attendre; il n'a pas encore lu le rapport.   *(attendre que . . .)*

8   S'il tient compte des besoins des immigrés, le gouvernement n'aura rien à se reprocher.   *(pourvu que . . .)*

9   Il n'est pas sorti de sa cachette; on pourrait le reconnaître.   *(de crainte que . . . ne . . .)*

10   L'Allemagne a renforcé ses gardes-frontières; autrement le nombre des clandestins augmenterait.   *(afin que . . .)*

B Comparez les exemples suivants:

Je vous *donnerai* un coup de téléphone avant de *partir* en vacances. ['donner' et 'partir' *ont le même sujet*: 'je']

Je vous donnerai un coup de téléphone *avant que vous (ne) partiez* en vacances. [*le deuxième verbe a un sujet différent*: 'vous']

On emploie de la même façon les mots et les locutions suivants:

même sujet:	sujet différent:
avant de	avant que . . . (ne) . . .
afin de/pour	afin/pour que
sans	sans que
de crainte/peur de	de crainte/peur que . . . ne . . .
à moins de	à moins que . . . ne . . .
à condition de	à condition que

exemples

sans les voir	sans qu'ils me voient
de peur de les perdre	de peur qu'il ne les voie
à condition de rendre les devoirs demain	à condition que les devoirs soient satisfaisants

Tenant compte des exemples ci-dessus, complétez les phrases suivantes. Il s'agit d'employer convenablement les mots et les expressions entre parenthèses:

exemple   Il s'est mis à courir (. . . peur . . . retard . . . rendez-vous . . .).
réponse POSSIBLE   Il s'est mis à courir de peur d'être en retard au rendez-vous.

1 Il pressa le pas en remarquant le suspect (de peur . . . perdre de vue).
2 On a affrété cet avion exprès (pour . . . clandestins . . . Algérie).
3 L'examinateur fit de son mieux pour mettre les candidats à l'aise (pour . . . pouvoir . . . se faire valoir . . . oral).
4 (Avant . . . faire emmener . . . cellules), l'inspecteur avait questionné longuement les deux voyous.
5 Il s'est approché de la fenêtre sur la pointe des pieds (de peur . . . la vieille dame . . . ses pas . . . le gravier).
6 La femme de chambre avait promis de passer l'aspirateur (avant . . . clients . . . de retour . . . hôtel).
7 (A moins . . . conduite . . . s'améliorer), le directeur en parlera à vos parents.
8 Vous recevrez gratis une troisième cassette, (à condition . . . en . . . deux).

3   A Choisissez parmi les expressions suivantes celles qui ont à peu près le même sens que les expressions soulignées dans les phrases ci-dessous:

tout le monde	tout de suite	à tout prendre
tout à coup	tout de même	tout à l'heure
à toute vitesse	en tout cas	tout à fait
de tous côtés	tous les jours	toutes les fois que
pas du tout		tout le temps

exemple   Les auxiliaires médicaux sont <u>constamment</u> en état d'alerte.
réponse   tout le temps

1 Le journal télévisé nous tient <u>quotidiennement</u> au courant des nouvelles.
2 Il promit de se mettre en route <u>aussitôt</u>
3 <u>Dans l'ensemble</u>, les idées qu'il avance sont rafraîchissantes.
4 Pourtant, mes collègues ne sont <u>nullement</u> impressionnés.
5 Je l'ai vu <u>il y a un instant</u> à l'entrée.
6 Son attitude est <u>complètement</u> différente de la leur.
7 <u>Néanmoins</u>, il compte y retourner demain.

8 <u>Soudain</u>, il crut entendre un bruit de pas derrière lui.

9 Il partit <u>le plus vite possible</u> à la recherche d'un médecin.

10 <u>Quoi qu'il en soit</u>, il refuse de renoncer au projet.

B Faites la liste des mots qui manquent dans l'exercice suivant. Choisissez parmi 'du temps', 'de temps', 'le temps', 'en temps', 'à temps' et 'temps' (employé seul):

exemple Il est ... qu'il se mette au travail.
réponse ... temps ...

1 C'est un élève distrait qui, la moitié. . . , ne fait rien.

2 Pendant les grandes vacances il travaille . . . partiel.

3 Depuis combien . . . apprend-il le latin?

4 . . . à autre il va à la pêche avec son oncle.

5 De telles idées sont dans l'air . . .

6 Il n'aura pas . . . de faire les courses ce soir.

7 Peu . . . après les conseillers municipaux ont élu le nouveau maire.

8 J'espère qu'elle rentrera . . . pour me donner un coup de main dans la cuisine.

4 Traduisez en anglais le deuxième paragraphe du 'Fièvre migratoire en Roumanie' aux pages 127–8 depuis 'C'est presque devenu une obsession . . .' jusqu'à '. . . ville natale, proche de la Hongrie.'

5 Traduisez en français le passage suivant:

Les Clandestins

How is it that[1] so many inhabitants of the Third World are eager to leave their native land and to try their luck as illegal immigrants? The truth is that[2] they live well below[3] the poverty line and look enviously at those countries where the standard of living is much higher than their own.

Despite the harsh measures taken by several western governments

---

1 comparer: Comment se fait-il que vous n'ayez pas d'argent?   3 'au-dessus de' ou 'au-dessous de'?
2 c'est que . . .

in recent years[4] to discourage them, there are lots of young people whose future is so uncertain at home that they are prepared to take every risk and to go anywhere in the West.

At all events, unless the present economic imbalance is remedied, it is unlikely that[5] the number of illegal immigrants will decrease.

---

4 comparer: ces derniers temps   5 expression suivie de l'indicatif ou du subjonctif?

Vocabulaire utile

le Tiers-monde   avoir hâte de   le seuil de pauvreté   sévère   redresser

---

6   Contrastes et conséquences

Dans les lettres, les résumés et les essais que vous écrivez, vous aurez souvent besoin de *faire contraster* certaines idées, certains détails. En plus, il vous faudra parfois exprimer *la conséquence*. Notez bien les exemples suivants:

1 Contrastes:

Malgré l'avertissement, il refuse de se conformer aux règles.
Toujours est-il que (The fact remains that) les règlements ne se sont pas assouplis.
Tout marchait bien; *néanmoins/et pourtant* il se sentait inquiet.
Alors que / Tandis que les autres s'opposaient à cette proposition, lui l'accueillait sans réserve.

(AUSSI: bien que, quoique + subj . . . ; même si . . . ; il *n'en* est *pas moins* vrai *(nevertheless)* que; au contraire, en revanche, toutefois, cependant, tout de même, quand même, pour autant *(for all that)*; contrairement à. . .)

2 Conséquence:

Mon frère avait eu un accident, *de sorte que (with the result that)*
. . . + *indicatif* . . . nous n'avons pas pu assister au mariage.

Elle était *trop* choquée *pour* parler; il était *assez* fort *pour* le soulever.
Il était *si / tellement* fatigué *qu'*il s'endormit *aussitôt.*
Le ministre a démissionné; *par conséquent,* il y aura un remaniement.

Peut-être que cette démission *aura pour résultat de* faire tomber le gouvernement.

Cette décision *a entraîné* de graves conséquences.

(AUSSI: à la suite de; c'est/voici/voilà pourquoi . . . ; donc, ainsi; amener, occasionner, provoquer)

A Les phrases suivantes se rapportent aux textes que vous venez de lire. Complétez-les en exprimant l'opposition ou la conséquence:

exemple   Beaucoup d'immigrants sont persuadés qu'ils n'ont pas d'avenir chez eux; par conséquent . . .

réponses *POSSIBLE*   Beaucoup d'immigrants sont persuadés qu'ils n'ont pas d'avenir chez eux; par conséquent ils consacrent tous leurs efforts pour s'installer dans un pays moins défavorisé.

1   Malgré . . . , les clandestins sont prêts à entreprendre leur voyage sans visa.

2   Les pays industrialisés luttent constamment contre l'immigration clandestine; néanmoins . . .

3   Il y a toujours beaucoup d'immigrants à reconduire chez eux; voilà pourquoi . . .

4   Contrairement à . . . , la plupart des habitants du Tiers-monde mènent une vie précaire.

5   Bien que . . . , ces jeunes Roumains tentent leur chance à l'Ouest.

6   Ils touchent chez eux un salaire si bas que . . .

7   Même si . . . , il reste toujours la frontière germano-polonaise à franchir.

8   En France et en Allemagne, il y a tant d'ouvriers en chômage que . . .

9   Alors que . . . , ceux qui traversent l'Oder à la nage parviennent souvent à atteindre la France.

10   La Roumanie est maintenant sur la liste des pays 'sûrs', de sorte que . . .

Chapitre *12*
Les Sports à risques

■ ❚ Première partie

1 Lisez attentivement le texte suivant avant de faire les exercices.

Cauchemar glacial à moins 950 mètres: Dans le gouffre Berger

A 950 mètres sous la terre du Vercors, dans le cercle jaune de la 1
lampe frontale, la vision, soudaine et terrible, confirme les craintes des
sauveteurs. Hier, l'un d'eux, qui émerge du gouffre Berger, raconte:
'Lorsque nous sommes arrivés en haut de la grande cascade qui
dégringole une paroi de plus de 27 mètres, nous avons vu l'un des 5
spéléologues hongrois. Il était accroché à sa corde. Sous la pression
de l'eau en furie, son corps se balançait. Il était mort. Noyé par les
brumes d'eau.'

Quelques minutes auparavant, une autre équipe de spéléologues
avait retrouvé, à moins 800 mètres, le corps d'une Britannique de 31 10
ans. Morte d'épuisement.

Deux morts, quatre survivants en grande difficulté. L'exploration
du gouffre, l'un des plus profonds d'Europe avec ses 1 241 mètres, a
tourné au cauchemar pour le groupe de six spéléologues anglais et
hongrois. Un cauchemar dans lequel l'insouciance, sinon l'imprudence, 15
a joué un rôle déterminant.

Un gouffre typique

Samedi, c'était l'euphorie. Ils allaient enfin réaliser leur rêve: descendre dans le célèbre gouffre Berger. La belle exploration n'était prévue pour durer que 48 heures avec une nuit de bivouac. Avant de partir, ils ont consulté la météo. Elle annonçait du mauvais temps: 20 pluies, orages.

Tout spéléo le sait: des pluies en surface provoquent aussi le gonflement des rivières souterraines. Mais les six touristes ont tellement envie de cette descente-là qu'ils passent outre l'importance des précipitations annoncées. C'est décidé: ils descendront quand 25 même.

Dimanche, alors qu'ils entament la remontée, loin au-dessus de leur tête, en surface, les prévisions météo se réalisent. Le ciel devient noir, le tonnerre commence à gronder. Une pluie diluvienne s'écrase sur le plateau de Vercors. En quelques instants les cours d'eau grossissent et 30 débordent. C'est la crue. Sous terre, un flot bouillonnant balaie tout sur son passage.

Deux des spéléologues, ceux qui ont déjà commencé la remontée et que les sauveteurs ont trouvé les premiers, ne peuvent survivre à cette furie des éléments. Séparés en deux groupes de trois – dont 35 chacun compte un mort – deux des survivants se trouvent à moins 900 mètres. Frigorifiés par l'eau glaciale contre laquelle ils ont lutté, ils sont en état d'hypothermie grave. Les deux autres, à moins 800 mètres, sont moins grièvement atteints, même s'ils sont épuisés.

Hier, l'ultime opération de secours déclenchée pour tenter de les 40 remonter à la surface s'annonçait plus que délicate pour les très nombreux sauveteurs spéléos, pompiers, gendarmes et CRS[1] des Alpes notamment.

Installés dans un poste médical avancé à moins 640 mètres, les deux survivants les moins touchés tentent de reprendre des forces. 45 On essaie de les requinquer afin qu'ils puissent remonter avec un maximum d'autonomie, car un transport en brancard prend trois fois plus de temps. Quant aux deux autres, leur état – 'sérieux', disent les sauveteurs – nécessite un traitement sur place. L'obligation de les transporter sur un brancard va rendre la remontée longue et 50 périlleuse.

[texte abrégé]
France-Soir

---

1 CRS: compagnie républicaine de sécurité – riot squad (CRS des Alpes – mountain rescue unit(s))

Vocabulaire

atteint *affected (here)*
bouillonnant *boiling, seething*
le brancard *stretcher*
le cauchemar *nightmare*
la crue *flooding*
déclencher *to start, initiate; to trigger off*

dégringoler *to pour down; to tumble down*
entamer *to begin; to eat/cut into*
le gonflement *swelling*
le gouffre *caves; abyss; chasm*
outre: passer outre *to pay no heed to*
la paroi *rock face*
requinquer *to buck/perk (someone) up*

A Cherchez l'équivalent français des mots et des expressions ci-dessous:

on the spot
the lack of concern
the spray
to promise to be/look like being

to come true
to overflow
in its path
as self-reliant as possible

B Quels sont les mots qui manquent? Donnez une forme grammaticale appropriée (verbe, substantif, adjectif, etc.) à un mot appartenant à la même famille que celui entre parenthèses à la fin de chaque phrase:

exemple Son séjour fut de courte . . . (durer)
réponse durée

1 Le canot de _____ s'est dirigé vers le navire en détresse. (sauveteurs)
2 Ceux qui ont _____ à l'accident en attribuent la responsabilité au chauffeur du car. (survivants)
3 Par temps _____ nous ne sortons guère. (pluies)
4 La remontée était _____ longue et périlleuse. (forces)
5 On avait prévu des orages: il _____ déjà au loin. (tonnerre)
6 Une mince couche de _____ recouvrait l'étang. (glacial)
7 Le port du casque est devenu _____. (obligation)
8 Il a assisté à l'_____ d'une des victimes de la catastrophe aérienne. (terre)

9 C'est une petite fille _____ qui ne prend jamais part à leurs
   jeux.   (crainte)

10 Il gardait _____ ses distances de la grange
    embrasée.   (imprudence)

C Complétez les phrases suivantes – qui se rapportent au texte – en
choisissant des mots et des expressions convenables:

1 Les six spéléologues avaient prévu deux jours pour . . . et le
   samedi ils . . .
2 Ils avaient tellement hâte de . . . qu'ils . . . la météo qui . . .
3 Ils auraient dû se rendre compte que . . . en surface
   provoqueraient . . .
4 On a alerté . . . quand les spéléologues . . . le dimanche.
5 Dans le gouffre les sauveteurs ont trouvé . . . et quatre . . .
6 Les survivants étaient en mauvaise posture: deux d'entre eux . . .
   et les autres . . .
7 Les sauveteurs ont dû installer sous terre . . . parce que . . .
8 Ils espéraient que les survivants les moins touchés, après avoir
   . . . , pourraient . . .
9 Pour les deux autres . . . longue et difficile parce que . . .
10 Il fallait relayer les sauveteurs à cause de . . . au fond du gouffre.

2 Lisez attentivement le texte suivant, puis répondez en français aux
questions.

Les Sports à risques

Trop souvent, durant la première quinzaine du mois d'août, des   1
accidents sont venus rappeler que les sports 'd'aventure' sont aussi
des sports 'à risques': noyade de trois adolescents partis faire du
canyoning dans les Alpes Maritimes; disparition, heureusement
temporaire, de sept spéléologues dans un gouffre de Haute-Savoie;   5
décès d'un adepte du parapente ainsi que d'un alpiniste à la mi-août,
dans le même département.

La masse des secours mobilisés pour secourir ces 'sportifs de
l'extrême' et le coût, exorbitant, de ces interventions – un
hélitreuillage récent qui a mobilisé 50 sauveteurs et quatre   10
hélicoptères, aurait largement dépassé les 100 000 francs – amènent à

se demander si, pour inciter les risque-tout à la prudence, il ne faudrait pas, à l'avenir, leur réclamer une participation financière aux secours, dont le poids est pour l'instant entièrement supporté par l'état et les collectivités locales. Le directeur de la Sécurité civile, au   15
ministère de l'Intérieur, admet que des exceptions au principe de la gratuité des secours, qui date du XVIIIᵉ siècle, seraient nécessaires pour responsabiliser les pratiquants de sports dont on sait qu'ils font courir un risque anormal. 'Nous y réfléchissons actuellement.'

Déjà, une première liste de dix sports – alpinisme, canyoning,   20
deltaplane, parapente, plongée sous-marine, rafting, randonnée à ski, spéléologie, surf des neiges, vol à voile – a été établie. 'L'individu a la liberté de prendre des risques mais pas celle d'en faire prendre aux sauveteurs, ni de faire payer l'ensemble des contribuables,' ajoute le directeur. La loi montagne de 1985 et un décret de 1987 avaient déjà   25
constitué une première entorse à la règle de la gratuité du service public de secours: les municipalités de montagne se voyaient accorder le droit de faire payer aux skieurs accidentés sur leur domaine skiable tout ou partie des opérations de secours.

Si le débat est aujourd'hui réouvert, c'est que ces sports 'à risques'   30
connaissent un véritable engouement. Ils correspondent bien aux évolutions de la société; ils donnent aux vacanciers qui ne veulent plus rester statiques, la possibilité de devenir un peu des aventuriers, d'éprouver des sensations fortes qu'ils n'ont pas nécessairement toute l'année.   35

Mais l'aventure vécue dans des milieux naturels pouvant rapidement devenir hostiles se paie parfois au prix fort ... A 13 000 francs l'heure d'hélicoptère, et sans même prendre en compte les frais d'ambulance puis d'hospitalisation à l'arrivée, cela porte l'entorse en moyenne montagne aux alentours de 15 000 francs; comptez le   40
double pour une traumatologie plus lourde, pour laquelle on envoie un hélicoptère médicalisé.

Quelque 240 gendarmes, 210 CRS, 300 pompiers et 19 hélicoptères sont sur le pied de guerre pendant l'été pour le secours en montagne. Guides de haute montagne, spéléologues ou plongeurs   45
depuis belle lurette, les forces de secours doivent désormais se former à la pratique du raft ou du canyoning. 'Dans notre société si sûre, les gens veulent prendre des risques, mais sont incapables de les assumer,' analyse froidement le président du spéléo-secours français.

Si les sports 'de l'extrême' génèrent un nombre croissant   50
d'accidents, la massification de certaines activités *a priori* plus anodines

est, elle aussi, en cause. Particulièrement en vogue, la marche en haute montagne fournit son vaste lot de randonneurs du dimanche, bien souvent sous-équipés. La pratique du VTT en montagne s'avère souvent désastreuse pour les enfants de moins de dix ans, de même qu'est dangereuse la planche à voile si le vent ou la présence de baigneurs ne sont pas suffisamment pris en compte, et le ski pratiqué par des citadins qui se précipitent sur les pistes après des heures de route. 55

Dans tous les cas, c'est le manque d'humilité des sportifs, par rapport à la nature et à leur propre condition physique, qui frappe les sauveteurs. Une attitude de consommateur en somme: je paye, donc j'ai droit à des sensations, tout de suite, sans initiation préalable contraignante et quelles que soient mes possibilités physiques ... 60

Même les personnes expérimentées, qui se préparent sérieusement, ont aujourd'hui extrêmement de mal à renoncer, si le temps change. Peut-être parce qu'inconsciemment elles ont en tête qu'elles seront secourues partout. Un recours si présent à l'esprit de certains randonneurs qu'ils emportent leur téléphone portable en montagne. 65

70

[texte abrégé]
Le Monde

Vocabulaire

anodin *harmless, innocuous*
a priori *on the face of it*
assumer *to take responsibility for (here)*
s'avérer *to prove (to be)*
la collectivité locale *local authority*
contraignant *restrictive*
le contribuable *taxpayer*
l'engouement (m) *craze*
l'entorse *breach; sprain*
se former à *to train for*

hélitreuiller *to winch to safety by helicopter*
lurette: depuis belle lurette *for ages/many years*
la massification *expansion, popularization*
le parapente *paragliding*
la sensation forte *thrill*
le surf des neiges *snowboarding*
la traumatologie *injury*

A Répondez en français aux questions:

1 Pourquoi a-t-on choisi ce moment (le 26 août) pour publier un article sur les sports à risques?

2 Où se produisent la plupart de ces accidents?

3 Quel reproche le ministère fait-il à certains pratiquants de ces sports?

4 Que pourrait-on faire afin de les responsabiliser?

5 Où a-t-on déjà fait une entorse à la règle de la gratuité des secours? Pourquoi?

6 Pourquoi ces sports attirent-ils tant de sportifs?

7 A quoi l'auteur de l'article fait-il allusion en disant que les milieux naturels peuvent rapidement devenir hostiles?

8 De quoi le planchiste devrait-il tenir compte en pratiquant son sport?

9 Quel conseil l'auteur donne-t-il aux citadins qui font du ski?

10 De quoi les pratiquants de ces sports, qui partent souvent sans avoir pris toutes les précautions nécessaires, sont-ils persuadés?

B Cherchez dans le texte 'Les Sports à risques' des adjectifs qui sont synonymes des adjectifs suivants:

exemple   réel
réponse   véritable

excessif   indispensable   catastrophique   portatif
intérimaire   inhabituel   inoffensif   périlleux
malveillant   grandissant

C Expliquez en vos propres termes ce que vous entendez par les expressions suivantes prises dans le texte:

1 la gratuité des secours   (ligne 17)

2 responsabiliser les pratiquants de ces sports   (ligne 18)

3 leur domaine skiable   (ligne 28)

4 ces sports connaissent un véritable engouement   (ligne 31)

5 ils sont sur le pied de guerre   (ligne 44)

D Sans vous éloigner du sens général du texte, complétez les phrases suivantes en vous servant convenablement des expressions ci-dessous. Dans presque toutes les phrases il vous faudra changer la forme grammaticale du verbe. Il y a quinze expressions; vous n'en utiliserez que dix.

être obligé d'envoyer

mettre en danger la vie

se méfier de

devoir peut-être couvrir en partie

éprouver des sensations fortes

faire de longs trajets

connaître par une longue expérience

pour y renoncer

permettre aux vacanciers

faire tous les frais

avoir déjà le droit de

avoir l'impression de

devenir de plus en plus

être persuadé que

pour s'apercevoir de

exemple   Il y a des alpinistes qui n'ont pas assez d'expérience . . . les dangers.

réponse   Il y a des alpinistes qui n'ont pas assez d'expérience *pour s'apercevoir des* dangers.

1   Pour l'instant l'état et ses collectivités . . . des secours.

2   A l'avenir les risque-tout . . . les frais des interventions.

3   Les municipalités de montagne . . . demander aux skieurs accidentés une participation financière.

4   Les risque-tout n'ont pas la liberté de . . . des sauveteurs.

5   Les sports à risques . . . de mener temporairement une vie aventureuse.

6   En montagne il faut que les skieurs . . . les conditions météorologiques qui peuvent se gâter rapidement.

7   Le secours en montagne est entre les mains de sauveteurs qui . . . les dangers qui existent là-haut.

8   Les planchistes qui, ces derniers temps, . . . , manquent parfois de considération pour les autres vacanciers.

9   Il y a des citadins, qui, bien qu'ils . . . en voiture, vont aux pistes dès leur arrivée.

10   Beaucoup de sportifs . . . il y a toujours des secours à proximité.

■ ▎ Deuxième partie

1   Les Pronoms personnels toniques

s	moi	toi	lui	elle	soi *(one(self))*
pl	nous	vous	eux	elles	

Notes

1 Pour mettre en relief un pronom sujet:

  a *Moi* (aussi), je préfère le tennis.

    Toi tu ferais mieux de . . .

    Lui / Eux refuse(nt) d'y participer.

  b Nous le ferons *nous*-mêmes.

    Il s'en occupera *lui*-même.

    Il faut rester fidèle à *soi*-même.

  c C'est *toi* qui l'*as* suggéré.

    C'est *vous* qui en *serez* responsable (MAIS *Ce sont eux / elles* qui ont tort).

2 Avec un autre sujet:

  Pierre et *moi* [= nous] avons décidé de . . .

  Ton cousin et *toi* [= vous] allez . . .

  Sa sœur et *elle / lui* vont . . .

3 En faisant des comparaisons:

  Ils sont plus enthousiastes que *moi*.

  Elle travaille plus dur qu'*eux*.

4 Seuls:

  Qui l'a fait? *Eux*?   – Non, *elle*.

5 Après une préposition/locution prépositive:

chacun pour *soi*	chez *moi*
à côté d'*elles*	l'un d'*eux*
quant à *lui*	plusieurs d'entre *nous*

A Dressez une liste des pronoms personnels toniques qui manquent dans les phrases suivantes:

exemple   Ses parents étaient partis; sans _____ elle se sentait si seule.

réponse   eux

  1 Quant à _____, je n'y vois pas d'inconvénient.

  2 Ce sont _____ qui sont arrivés les premiers.

  3 Les invités s'ennuient, si l'on parle tout le temps de _____.

  4 C'est bien _____ qui as trouvé la photo égarée?

   5 Ayant du temps libre, nous pourrions préparer le repas
   _____-mêmes.

   6 En rentrant chez _____, je leur donnerai un coup de fil.

   7 Sans _____ il n'aurait pas réussi. C'est _____ qui l'avez
   mis sur la bonne piste.

   8 Certaines d'entre _____ s'étaient entraînées à la piscine
   régulièrement.

   9 Bien qu'ils aient gagné, nous avions mieux joué que _____.

2   Modèles à suivre

Lisez attentivement les exemples et les notes suivants:

Notes

1 *Depuis des années Marian nourrit le même rêve.* (For years . . . has
entertained/been entertaining . . .)

*Le présent du verbe français s'emploie en pareil cas parce que l'action
continue* (= Marian continue de nourrir ce rêve).

2   Pourtant:
   il n'y a que 50 minutes que je suis dans ce trou. (. . . I have been . . . for
   only . . .)
   J'y suis enfouie depuis près d'une heure. (. . . I have been . . . for . . .)
   Depuis combien de temps suis-je là? ((For) how long . . . have I been here?)

3   Il est possible d'exprimer autrement les phrases ci-dessus:
   Voici/Voilà seulement 50 minutes que je suis dans là.
   Cela fait près d'une heure que je t'attends.

4   L'imparfait du verbe français peut s'employer de façon pareille:
   Il y travaillait depuis six mois.
   Cela faisait six mois qu'il y travaillait. (. . . <u>had</u> worked/been working
   for . . .) (= et continuait d'y travailler)
   Ils habitaient près de Tours depuis un an. (. . . <u>had</u> lived/been living
   for . . .) (= et continuaient d'habiter près de Tours)

5   MAIS, *au négatif,* on emploie le passé composé ou le plus-que-parfait:
   Je n'y suis pas allé depuis un mois. (. . . for a month now.)
   Cela faisait deux ans que je ne l'avais pas vu. (for two years)

A Refaites les phrases suivantes en remplissant les blancs et en donnant à chaque verbe entre parenthèses une forme convenable:

exemple . . . trois ans . . . nous (faire) ces recherches.
réponse *Cela fait/Il y a/Voilà* trois ans *que* nous *faisons* ces recherches.

1 Ces élèves font très peu de fautes. . . . combien de temps (apprendre)-elles l'anglais?
2 . . . fait quinze jours . . . je (travailler) dans cet hôtel. Jusqu'ici un seul pourboire!
3 Il (être) enfoui dans la neige . . . trois heures quand l'équipe de secours l'a trouvé. Grâce au chien d'avalanche!
4 Cela (faire) plus de dix ans que nous (ne pas y retourner), mais mes parents ne regrettaient jamais de s'être installés à Bourges.
5 La Sécurité civile (considérer) . . . longtemps le problème des sportifs irresponsables.

B Formulez les questions auxquelles ont été faites les réponses suivantes:

exemple . . . ? 'Depuis mai, monsieur.'
question POSSIBLE Depuis quand êtes-vous en chômage?

1 . . . ? 'Depuis trois ans, et je le préfère à l'anglais.'
2 . . . ? 'Depuis six mois. Ma vue a baissé peu à peu.'
3 . . . ? 'Depuis deux mois seulement: mon père vient d'être muté.'
4 . . . ? 'Cela fait une bonne demi-heure que nous vous attendons.'
5 . . . ? 'Depuis deux ans; c'est mon sport nautique préféré.'

3 Révisions

Transposez en discours indirect:

exemple Elle a dit: 'Je m'en suis occupée hier soir en rentrant.'
réponse Elle a dit qu'elle s'en était occupée la veille au soir en rentrant.

1 Il leur dit: 'Si mes parents sont d'accord, cela me fera grand plaisir de partir en vacances de neige avec vous.'
2 Elle a demandé à Robert: 'Qu'est-ce que tu as fait en te rendant compte que je n'avais pas pu m'absenter du bureau?'

3 Il leur a dit: 'J'espère être de retour ce soir, ce qui me permettra de vous mettre au courant de la décision du conseil.'

4 Il leur a demandé: 'Pourquoi vous faut-il remettre à demain ce que vous pourrez faire aujourd'hui?'

5 Il a demandé à Pauline d'un ton maussade: 'Est-ce que tu te rends compte que je t'attends depuis une heure et que les autres seront partis sans nous?'

6 Elle a dit: 'Cela fait plus d'une heure que j'attends ma correspondance et il faut absolument que je sois à l'aéroport avant midi pour chercher mes amis anglais.'

4 Traduisez en anglais les deux derniers paragraphes de 'Les Sports à risques' à la page 146 depuis 'Dans tous les cas . . .' jusqu'à '. . . téléphone portable en montagne.'

5 Traduisez en français le passage suivant:

Les sports 'd'aventures'

At last the editor appeared at the end of the corridor. Paul had been waiting for him for the last half hour. He was hoping to write an article on adventure sports which, the previous summer, had caused so many accidents, often fatal, in the mountains and along the coast.

'What troubles me is the cost of the rescue operations, the dangers which[1] the rescuers have to face, and, above all, the lack of experience of some of the casualties,' he explained. 'There is nothing wrong with practising such sports, provided that one is well-equipped and aware of the risks.'

Having listened to him attentively, the editor said with a smile: 'Go ahead! I like the idea[2]. Show René the rough draft. My wife and I are going on holiday the day after tomorrow.' Unbeknown to Paul, his boss was going to go skiing in the Haute-Savoie.

1 lequel (etc.) précédé d'une préposition
2 comparer: le film leur a plu

Vocabulaire

le rédacteur   précedent   provoquer   mortel   le coût   faire face à
il n'y a pas de mal à + inf   la victime   avoir conscience de   allez-y
le brouillon   à l'insu de

6   Causes, raisons et conditions

Notes

1   Causes et raisons

Voici des conjonctions et des locutions prépositives qui servent à
introduire une explication ou à indiquer une cause quelconque. Vous
les aurez rencontrées au cours de vos lectures.

   a Il faut redescendre *à cause du* brouillard.

   b *Grâce à* son aide, ils ont pu trouver le skieur blessé.

   c *Étant donné* les conditions, ils s'en sont tirés à bon compte.
     Étant donné que le nombre d'accidents s'accroît, il faudra repenser
     la question des secours.

   d *Comme* il est à Paris, il visitera la nouvelle exposition de sculpture.

   e *Puisque* le froid et l'humidité les épuisent rapidement, on relaie les
     sauveteurs toutes les deux heures.

   f N'*ayant* rien d'autre à faire, il alluma le téléviseur.
     Les enfants *étant sortis*, elle se reposa un peu.
     Sa femme ne *s'étant* pas encore *remise* de l'accident, Jean devait
     faire le ménage.

De nombreux verbes s'emploient de la même façon.
(AUSSI: parce que; car; en raison de; en vue de; vu; vu que)

2   Conditions et suppositions

   a *Si* nous partons de bonne heure, . . .
     Si nous partions de bonne heure, . . .
     Si nous étions partis de bonne heure, . . .
        (Voir les chapitres 3 et 6)

   b *Même si* le train a du retard, nous pourrons . . .

   c *Au/dans le cas* où (+ conditionnel) il y aurait un accident, . . .

   d *À moins que* (+ subj) vous *ne* soyez trop fatigué, nous reprendrons
     dans cinq minutes.

e *Pourvu que* (+ subj) vous suiviez les instructions, . . .

f *En cas de* panne/d'urgence/d'accident, il faut . . .

(AUSSI: à moins de; à condition de; sinon, autrement)

Les phrases ci-dessous se rapportent aux textes que vous venez de lire. Complétez-les convenablement en expliquant les raisons, en indiquant les causes ou en exprimant les conditions:

exemples

1 Les pluies en surface (être) torrentielles, les rivières souterraines ont débordé.

2 Si les spéléologues avaient été plus expérimentés, ils . . .

réponses *POSSIBLES*

1 Les pluies en surface *étant/ayant été* torrentielles, les rivières souterraines ont débordé.

2 Si les spéléologues avaient été plus expérimentés, ils *auraient remis l'exploration du gouffre à plus tard*.

1 Malgré la météo les spéléologues ont décidé de l'explorer, parce que . . .

2 Étant donné . . . , il faudrait remonter en brancard les deux autres spéléologues.

3 Grâce à . . . , les spéléologues accidentés avaient de bonnes chances de s'en tirer.

4 Si, à l'avenir, on demandait aux 'sportifs de l'extrême' de participer financièrement aux secours, ils . . .

5 L'état fait une exception pour les municipalités de montagne, puisque . . .

6 Si l'on . . . , on doit en accepter les conséquences, selon le président du spéléo-secours.

7 Au cas où . . . , il faudrait alerter les équipes de secours.

8 Ne (voir) plus ses compagnons dans ce voile de brume, il . . .

9 Il pourra faire face aux rigueurs du climat, pourvu que . . .

10 A moins que . . . , il vaudrait mieux renoncer à cette ascension.

Chapitre *13*
Monsieur le maire

■■ Première partie

1 Lisez attentivement le texte suivant, puis faites les exercices.

Maires ruraux

'J'ai passé toute ma vie à m'occuper des autres. Il est temps que je   1
pense un peu à moi,' explique le maire de Flogny-la-Chapelle (1 077
habitants, dans l'Yonne).

Élu en 1989 après avoir occupé le poste de conseiller municipal
pendant six ans, cet ancien exploitant laitier avoue aujourd'hui son   5
'ras-le-bol'. Il rendra prochainement son écharpe tricolore pour se
consacrer à une activité beaucoup plus paisible: l'ouverture d'un
caveau de dégustation de chablis et autres vins fins.

Le temps, principale cause de la démotivation de nos maires de
campagne? Sans doute: la décentralisation, en multipliant leurs   10
responsabilités, a aussi considérablement accru leurs tâches. Fini les
maires coupeurs de rubans lors des inaugurations, brillants marieurs
et sympathiques porteurs de toasts. L'état a fait d'eux des techniciens,
souvent désarçonnés, il est vrai, par le caractère abscons des
circulaires préfectorales, parfois incompréhensibles en l'absence d'une   15
formation juridique . . .

Les maires des petites communes n'ont pas la chance d'être
épaulés par les services dont disposent leurs collègues des villes plus
importantes. S'ils ont une secrétaire de mairie à plein temps, c'est déjà
une bonne chose! . . .   20

Transformés en experts du code de l'urbanisme et de la
construction, des problèmes d'environnement ou de l'aménagement
du territoire, les maires doivent en outre faire face aux sollicitations
tous azimuts de leurs administrés.

Les maires sont confrontés aux exigences croissantes du 'bourgeois   25
moderne' qui veut que les ordures soient ramassées devant sa porte,
que sa ville soit propre, qu'elle soit dotée d'équipements culturels,

sportifs. En quelques années, le citoyen local a troqué son statut d'administré pour celui de citoyen-consommateur, sans toujours comprendre quelles sont les compétences exactes de son maire. 30

De fait, qu'il s'agisse de résoudre les problèmes de voisinage, les disputes entre époux, ou de régler son sort au coq un peu trop matinal du village, c'est désormais monsieur le Maire, premier contact dans la vie démocratique, que l'on vient trouver à toute heure du jour et de la nuit.

'Avant, quand un fossé était bouché,' explique le maire, 'le fermier 35 du coin venait avec son tracteur et faisait le nécessaire. Maintenant, c'est moi que l'on vient trouver pour que je fasse intervenir les services techniques . . .'

Depuis le premier mars 1994, les maires sont responsables de leurs erreurs en leur nom propre et peuvent avoir leur casier judiciaire sali 40 par une sanction pénale (amende, peine de prison . . .).

'Est-il légitime de nous accuser à titre personnel?' s'interroge pour sa part le maire de La Chapelle-Thouarault. 'Après tout, nous ne sommes que les représentants du conseil municipal qui est lui-même l'émanation des électeurs. Imaginons, par exemple, que le maire 45 propose un crédit de sept millions de francs pour construire une station d'épuration et que les autres élus rejettent majoritairement sa proposition. Il est tout de même difficile de l'accuser ensuite, à titre personnel, de ne pas avoir fait le nécessaire!'

Inquiets, les maires sont gagnés par un sentiment d'injustice. Ils 50 sacrifient leur vie familiale et professionnelle pour le bien de la collectivité et voilà qu'on les menace de finir 'au trou'.

[texte adapté]
Le Figaro Magazine

Vocabulaire

abscons *abstruse*

azimuts: tous azimuts *wide-ranging*

boucher *to block; clog*

le caveau *wine-cellar*

les compétences (f pl) *powers (here)*

déguster *to taste*

désarçonné *taken aback*

doté(e) de *provided with; endowed with*

épauler *to support; assist*

épuration: la station d'épuration *sewage treatment plant*

l'exigence (f) *demand, requirement*

le fossé *ditch*

outre: en outre *in addition*

(son) ras-le-bol *being fed up (here)*

troquer *to swap; exchange*

trou: au trou *in the nick*

l'urbanisme (m) *town planning*

Un des rôles du maire

A Répondez 'vrai' ou 'faux' aux observations suivantes:

1 Le maire hésite toujours à se porter candidat aux prochaines élections municipales.

2 Les responsabilités du maire sont devenues beaucoup plus lourdes en raison de la décentralisation administrative.

3 Sans sa formation juridique les circulaires préfectorales auraient posé plus de problèmes au maire.

4 Les maires n'assistent plus aux mariages.

5 Ils regrettent beaucoup l'absence des services techniques dont disposent les maires des grandes villes.

6 De nos jours les administrés sont plus conscients qu'autrefois de leurs droits civils.

7 Les administrés ne viennent chercher le maire qu'en cas d'urgence.

8 Le maire est personnellement responsable de toute décision prise majoritairement par le conseil municipal, même si lui s'y oppose.

B Exprimez en vos propres termes ce que vous entendez par les expressions suivantes:

1 il rendra son écharpe tricolore

2 une formation juridique

3 le coq un peu trop matinal

4 la démotivation de nos maires

5 équipements culturels, sportifs

C ■ «*En* quelques années, le citoyen a troqué son statut d'administré pour celui de citoyen-consommateur.»

[EN = *en l'espace de*: le temps qu'il lui a fallu pour changer de statut]

■ «*Dans* quelques semaines le maire rendra son écharpe tricolore.»
[DANS = après/au bout de: au bout de quelques semaines . . .]

Ne confondez pas ces deux prépositions quand elles sont suivies d'une indication de temps.

Remplissez les blancs dans les expressions suivantes en insérant comme il conviendra 'en' ou 'dans':

1 Tout s'est passé _____ un clin d'œil.
2 Ce remède agit _____ moins de cinq minutes.
3 Il y aura un service régulier _____ un proche avenir.
4 _____ 30 ans de service, je n'ai jamais rien vu de pareil.
5 Il sera de retour _____ une demi-heure.
6 Le mariage aura lieu à la mairie _____ huit jours.
7 Nous faisons l'aller et retour _____ 40 minutes.
8 _____ quinze jours c'est la rentrée.
9 Il a fait l'exercice _____ moins de dix minutes.
10 La séance va commencer _____ un instant.

D Pour faire en quelque sorte le résumé du texte, complétez les phrases suivantes:

1 Au lieu de continuer à s'occuper des autres, le maire a décidé de . . .
2 Avant . . . 1989, le maire avait été conseiller municipal.
3 En décentralisant l'administration, la préfecture . . . du maire.
4 Le maire a besoin d'une formation juridique pour . . . les circulaires que la préfecture . . .
5 Les maires des grandes villes . . . que le maire rural, ayant pour seule aide une secrétaire, trouverait . . .
6 Ses administrés s'attendent à ce que le maire . . . besoins.
7 Au cas où un fossé serait bouché, on demanderait au maire de . . .
8 S'il y a un problème de voisinage à résoudre, il est possible que . . . à n'importe . . .
9 A l'avenir, c'est le maire, à titre personnel, qui répondra de . . .
10 Il n'est guère surprenant que les maires commencent à . . .

2 Lisez attentivement le texte suivant avant d'aborder les exercices.

Condamné sur ses biens propres

Le 29 mars 1995: le maire de Flavigny-sur-Moselle se souviendra 1
longtemps de cette sombre journée de printemps où il comparaissait
devant la quatrième chambre correctionnelle du tribunal de grande
instance de Nancy. Motif: la réalisation de travaux de réfection des
berges de la Moselle, sans autorisation administrative. 5

Condamné personnellement – et sur ses biens propres – à verser
10 000 francs d'amende et 28 000 francs dommages et intérêts, le
maire compte bien faire appel. En signe de solidarité, 90 pour cent des
maires du département ont fermé les portes de leur mairie le 19 avril
et manifesté devant la préfecture de Nancy. Tous les membres du 10
conseil municipal de Flavigny ont démissionné en bloc. Car pour tous,
cette sanction est totalement injustifiée.

L'affaire remonte en fait à 1979. A l'époque, le préfet délivre au
prédécesseur du maire l'autorisation de construire une salle des
sports en bordure de la Moselle, sous réserve que 'toute précaution 15
utile soit prise pour assurer la protection des bâtiments et des
usagers' en cas de danger, qui pourrait survenir du fait des crues de la
Moselle.

Or précisément, la rivière ne fait que grignoter les berges de
Flavigny depuis plusieurs années. En 1989, récemment élu, le maire 20
s'inquiète de la situation et alerte le préfet. Plusieurs réunions
techniques avec les services de la navigation lui permettent d'obtenir
l'accord verbal de l'administration pour entamer les travaux de
réfection des berges à proximité de la salle des sports, aux frais de la
commune. Mais l'autorisation écrite tarde à venir. 25

En 1991, la Moselle n'est plus qu'à 1m50 de la salle des sports
(contre seize mètres au moment de sa construction) et ronge les
fondations du bâtiment. Et toujours pas de réponse écrite de
l'administration. Usant de ses pouvoirs de police, le maire décide
alors, avec l'accord de son conseil municipal, d'entamer d'urgence les 30
travaux dont le coût s'élève à 300 000 francs. 'Que pouvais-je faire
d'autre?' interroge-t-il.

Mal lui en a pris: deux associations de pêcheurs de Nancy déposent
plainte contre lui, l'accusant d'avoir détruit des frayères à truites par
les travaux d'enrochement des berges. 35

'Une aberration,' s'exclame le maire, 'même les pêcheurs du coin reconnaissent que, compte tenu de la température de l'eau et des déchets rejetés dans la Moselle par l'hôpital voisin, les truites ne peuvent se reproduire dans ce coin de la rivière.'

Si la sanction du tribunal a été, au bout du compte, moins forte   40
qu'initialement prévue (les associations de pêcheurs réclamaient
270 000 francs de dommages et intérêts), le moral du maire n'en a pas
moins pris un sérieux coup.

Mais le maire a l'intention de se battre pour défendre tous les
maires qui, comme lui, sont à la merci de sanctions pénales abusives.   45
Et la semaine prochaine, il se présentera au verdict des urnes, la tête
haute.

[texte adapté]
Le Figaro Magazine

Vocabulaire

la berge *bank (river, canal)*
les biens *possessions; property*
la (chambre)
   correctionnelle *magistrate's court*
les déchêts (m pl) *waste*
l'enrochement (m) *rock-fill, riprap*
la frayère *spawning ground*

grignoter *nibble, eat away at*
instance: le tribunal de grande
   instance *county court (equivalent of)*
mal: mal lui en a pris *he (has) had*
   cause to regret it
la réfection *repairs; restoration*
verser *to pay*

A Cherchez dans le texte l'équivalent français des expressions suivantes:

1 in sympathy
2 with the consent of
3 bearing in mind
4 this matter dates back to
5 which might occur as a result of
6 paid for by
7 is a long time coming
8 provided that

B Trouvez, dans le texte, les expressions qui sont plus ou moins synonymes de celles qui suivent:

exemple   lors de
réponse   au moment de

1 sans la permission des autorités
2 si le public est en danger
3 pour protéger
4 au bord de
5 finalement
6 se servant de
7 dater de
8 envisage la situation avec appréhension

C *Modèle à suivre*

■ «. . . pêcheurs de Nancy déposent plainte contre lui, l'*accusant d'avoir détruit* des frayères à truites . . .»

On emploie l'*infinitif passé* en parlant de ce qui précède dans le temps: après l'*avoir fait*; après en *être sorti*; après *s'être reposé*.

Servez-vous des notes ci-dessus pour faire des phrases incorporant l'infinitif passé:

exemples
1 – faire attendre – s'excuser de –
2 – accuser – préfet – risque d'inondation – ne pas tenir compte de –
réponses POSSIBLES
1 Il s'est excusé de les avoir fait attendre.
2 Les conseillers ont accusé le préfet de n'avoir pas tenu compte du risque d'inondation.

1 – elle – s'excuser de – arriver en retard –
2 – se souvenir de – fermer à clef –
3 – lui reprocher de – ne pas alerter –
4 – trésorier – soupçonner de – s'approprier – milliers de –
5 – candidat – espérer – bonne impression –
6 – conseillers – maire – féliciter – ne pas céder à – pression –

◀ ■ ▪ Deuxième partie

1 La Voix passive

Notes

Le passif s'emploie normalement comme en anglais: c'est-à-dire là où son emploi ne donne pas l'impression de lourdeur. Vous en trouverez beaucoup d'exemples dans les textes:

- «Les maires *sont gagnés* par un sentiment d'injustice.»
- «Les maires . . . n'ont pas la chance d'*être épaulés* par les services dont disposent leurs collègues . . .»

1   Formation: le verbe 'être' (tous les temps) + participe passé d'un verbe *transitif direct*; *ce participe passé s'accorde avec le sujet*:

Elle a été/fut attaquée par un berger allemand.

Les prisonniers seront libérés demain.

Elles étaient accompagnées de leurs parents.

Il se peut qu'ils aient été retardés par le brouillard.

2   N'oubliez pas que le passé composé/simple exprime une action achevée, tandis que l'imparfait exprime un état ou une action habituelle.

Comparez:

Il a été/fut blessé par une balle perdue. [action achevée]

Il était grièvement blessé. [son état]

Le matin les enfants étaient ramassés a 7h15 par le car. [action habituelle]

Le lendemain le clandestin a été/fut ramassé par la police dans une rafle. [action achevée]

3   Les verbes transitifs *indirects* ne s'emploient pas au passif. *Il faut vous servir du pronom 'on'.*

dire *à* qn de: On a dit au maire d'y comparaître. *(The mayor was told to . . .)*

demander *à* qn de: On a demandé au maire de prendre la parole. *(The mayor was asked to say a few words.)*

4   On peut employer la forme pronominale d'un verbe transitif *dans le sens passif*, surtout à la troisième personne:

C'est un journal qui *se lit* partout.

Ces comprimés *se prennent* trois fois par jour.

Cela ne *se fait* pas ici.

Par conséquent, il y a trois façons différentes d'exprimer la phrase suivante:

La carte Eurochèque est beaucoup utilisée.

On utilise beaucoup la carte Eurochèque.

La carte Eurochèque s'utilise beaucoup.

A Pour mettre en relief une personne/chose en particulier, employez la forme passive du verbe dans les phrases suivantes:

exemple   On diffusera les deux matchs en direct.
réponse   Les deux matchs seront diffusés en direct.

1   Les autorités ont pris toutes les précautions nécessaires.
2   Un partisan fanatique assassina le Président.
3   Ces travaux interrompraient la circulation.
4   Les résultats des élections décevront la plupart des conseillers municipaux.
5   Le juge a condamné les accusés à payer une amende.
6   Le maire vient de régler cette question épineuse.
7   Selon les experts la Moselle aurait rongé les fondations de la salle des sports.
8   Il faut qu'on modernise les équipements hospitaliers.
9   Il paraît qu'on a invité la médaillée d'or irlandaise à inaugurer la nouvelle piscine.
10 Selon le maire les habitants du village n'approuvent pas les réformes envisagées par le préfet.

B Sans en changer le sens, refaites les phrases suivantes ou en donnant au verbe souligné sa forme pronominale ou en employant 'on', suivi de sa forme active.

exemples
1 Les œillets <u>sont cultivés</u> un peu partout.   (on . . .)
2 Le subjonctif <u>est</u> toujours <u>employé</u> après 'il faut que . . .'.   (se . . .)
réponses
1 On cultive les œillets un peu partout.
2 Le subjonctif s'emploie toujours après 'il faut que . . .'.

1   <u>On vend</u> des timbres dans tous les cafés-tabac.   (se . . .)
2   Ce problème <u>sera</u> vite <u>réglé</u>.   (on . . .)
3   <u>On</u> ne <u>trouve</u> que rarement une occasion pareille.   (se . . .)
4   <u>On</u> n'<u>a</u> pas encore <u>expliqué</u> le mystère de la bague disparue.   (se . . .)
5   Ce sont des verbes qui <u>se confondent</u> souvent.   (on . . .)
6   C'est une marque qu'<u>on</u> n'<u>achète</u> que dans les magasins de luxe.   (se . . .)

7 Ce sont des choses qu'<u>on</u> ne <u>dit</u> jamais.   (se . . .)

8 Il est possible que son projet <u>soit réalisé</u> dans un proche avenir.   (se . . .)

2   Les Adverbes et les locutions adverbiales

Notes

1 Formation des adverbes qui se terminent par '-MENT':

   a En général, on ajoute '-ment' au *féminin* de l'adjectif:

      lent, *lente* → lentement

      vif, *vive* → vivement

      fou, *folle* → follement

      doux, *douce* → doucement

      (mal)heureux, *(mal)heureuse* → (mal)heureusement

      fier, *fière* → fièrement

   b Si l'adjectif se termine par une voyelle, le masculin s'emploie:

      vraiment, poliment, résolument

   Exceptions, d'un usage courant:

      gai*e*ment, énorm*é*ment, précis*é*ment

   c Les adjectifs qui se terminent par '-ANT' ou '-ENT':

      constant → const*amment*

      bruyant → bruy*amment*

      brillant → brill*amment*

      évident → évid*emment*

      (im)patient → (im)pati*emment*

      prudent → prud*emment*

2 Locutions adverbiales:

Notez bien les mots et les expressions soulignés, dont on a souvent besoin:

   a Il est entré *sans* bruit.

      Il les regardait *avec* pitié.

   b Il regarda l'étranger *d'un œil* méfiant/*d'un air* indifférent.

   c *D'un geste* d'impatience il repoussa cette offre.

   d Le maire leur a parlé *d'une voix* amicale/*d'un ton* amical.

   e Il écrit toujours *de façon/manière* illisible.

      Il a causé *d'une manière/façon* agréable avec les candidats.

   f *Sur le plan* économique, la France continue de perdre du terrain.

g *Dans le domaine de* la politique, on le tient en haute estime.

h *Du point de vue* caractère, ce candidat est idéal.

Au / Du point de vue des élèves, le nouvel emploi du temps est surchargé.

i Il est difficile de l'accuser, *à titre* personnel, de ne pas avoir fait le nécessaire.

A Remplacez par un adverbe terminé en '-ment' chacune des expressions suivantes:

exemple sans cesse
réponse constamment

1 par bonheur
2 avec prudence
3 à titre personnel
4 à pas lents
5 avec patience

6 d'un air nonchalant
7 d'une manière joyeuse
8 d'un geste violent
9 d'un ton vif
10 avec précision

B Complétez les phrases suivantes en insérant une locution adverbiale convenable:

exemples

1 Il leur expliqua . . . las qu'il tombait de fatigue.
2 . . . du client, les grandes surfaces sont très pratiques.

réponses

1 Il leur explique *d'un ton* las qu'il tombait de fatigue.
2 *Du point de vue* du client, les grandes surfaces sont très pratiques.

1 Le maire avait assisté, . . . officiel, à la réunion.
2 . . . confort, les logements laissent beaucoup à désirer.
3 . . . maladroit, il renversa le cognac.
4 . . . de la haute finance, son père est très estimé.
5 . . . brusque, il dit aux élèves de se taire.
6 Il avait choisi le cadeau . . . soin.
7 . . . esthétique, la nouvelle bibliothèque a été favorablement accueillie.
8 Il scruta . . . anxieux la liste des candidats reçus.
9 Il courut . . . hésiter au magasin d'où venaient les cris.
10 Il lui conseilla, . . . d'ami, de ne pas chercher un second mandat.

C Dressez une liste des adverbes qui manquent dans les phrases suivantes. Il s'agit d'y insérer convenablement 'autant', 'moins', plus' ou 'tant'.

exemple Je le ferai le _____ tôt possible.
réponse plus

1 Il n'en est pas _____ vrai que le nombre d'accidents a augmenté.
2 _____ que je sache, il travaille en Belgique.
3 En _____ que maire, il sera responsable de ces dépenses.
4 A _____ qu'il ne se reprenne, le patron le renverra.
5 Il a décidé de continuer ses études pour _____.
6 Ils s'en sont sortis _____ bien que mal.
7 'Je ne veux pas y aller.' 'Ni moi non _____!'
8 Il se sentait de _____ en _____ découragé à cause de la récession.
9 Il dormait déjà à moitié, _____ il était fatigué.
10 Elle était d'autant _____ déçue que les autres avaient tous réussi l'épreuve.

3 Traduisez en anglais le deuxième et le troisième paragraphe de 'Maires ruraux' à la page 155 depuis 'Élu en 1989 . . .' jusqu'à '. . . en l'absence d'une formation juridique.'

4 Traduisez en français le passage suivant:

Le Maire

The river was in spate and after two days of torrential rain it overflowed. It was threatening to flood the new hospital and the neighbouring buildings, when the mayor called a special meeting of the town council.

For more than two years the mayor had regularly mentioned in his reports the real danger of floods. Until then, written permission to begin the necessary repair work[1] had not been received.

Once the meeting was over[2], with the council's consent the mayor phoned a friend in the building trade[3], whose bulldozers appeared on the scene shortly afterwards. He knew that, in financial terms, the operation would be very expensive; nevertheless, his fellow citizens needed protecting. He was sure that the *préfet* would approve of the emergency measures he had already taken.

1 les travaux
2 comparer: une fois les lettres écrites . . .

3 dans le bâtiment

Vocabulaire utile

en crue   déborder   avoisinant   convoquer   réel(le)   jusque-là
arriver sur les lieux   d'urgence

5   Voici quelques-uns des mots et expressions qui pourraient vous être utiles en exprimant des comparaisons ou en présentant des points et des détails supplémentaires.

1 Comparaisons

a   Il   *valait*   } mieux attendre que d'agir sans réfléchir.
       vaut
       vaudrait

   Ils   *feraient mieux*   } d'aller à l'auberge de jeunesse *plutôt que*
         auraient mieux fait   *de* faire du camping sauvage.

b   Il travaille   *plus*   } dur *que* { moi.
                   moins   d'habitude.
                                        vous ne pensez.

   Il n'a plus *autant de* loisirs *qu'*avant.

c   Ces photos   me *rappellent* mes années d'école.
                 me *font penser à* }

d   La cuisine *ressemble à* une porcherie!
   Il faut admettre que je n'ai jamais rien vu de { *pareil.*
                                                    semblable.

   Une personne dynamique,   *comme*   } le maire, aborderait avec
                             telle que

   enthousiasme un problème { *pareil.*
                              semblable.

e   Il faisait *comme si* tout allait bien.

2 Points et détails supplémentaires

a Il nous reproche de ne jamais faire attention et, *en plus,* il
en outre,

arrive toujours en retard.

b *Non seulement* ils sont très efficaces *mais encore/aussi/en plus* ils sont très polis avec les clients.

c Sa femme étant à l'hôpital, il s'occupe des enfants et du ménage, *sans parler des* courses.

d Il faut *également* *tenir compte de* sa compétence en cette matière.
faire mention de

Il ne faut pas oublier son rôle dans cette affaire.
de faire crédit à son adjoint.
qu'il est toujours très occupé.

e Les autres professeurs, *ainsi que* ses élèves, lui rendent
de même que hommage.
non moins que

On vous offre *en plus de* cette caméra vidéo deux cassettes à titre gratuit.

Il a neigé sur presque toute la France, *y compris* la Côte d'Azur.

A Les phrases suivantes se rapportent aux textes que vous venez de lire. Complétez-les en utilisant les mots et les expressions ci-dessus.

1 Plutôt que de . . . ce maire rural a décidé d'ouvrir un caveau à vin.

2 Dans les grandes villes il faut consacrer . . . autrefois aux sans-emploi qui sont si nombreux.

3 Non seulement le maire assiste à toutes les cérémonies publiques mais . . . il faut qu'il . . .

4 Le conseil municipal croyait que . . . prendre des mesures immédiates vu le niveau des eaux.

5 'Un problème sérieux, . . . celui des sans-abri, ne se résout pas du jour au lendemain,' explique le maire.

6 D'ailleurs il faut . . . des nouvelles obligations légales des maires ruraux.

7 Les autres maires, de . . . les conseilleurs municipaux, ont manifesté devant la préfecture.

8 Désormais, il paraît que le maire rural profiterait de quelque expérience dans l'administration, sans . . . juridique.

Chapitre _14_
La Violence de tous les jours

■■■ Première partie

1   **Points noirs**

Lisez attentivement les extraits suivants, puis faites les exercices.

Racket au collège

Près d'un établissement sur deux est concerné, mais on n'en parle pas.   1
Pourquoi?

Michel
Michel, douze ans, élève de cinquième dans un collège de la banlieue
nantaise, rêve de faire un tour en mobylette. Un 'copain', plus âgé et   5
plus fort, lui prête la sienne. Mais l'engin tombe en panne. Pour la
réparation, Michel doit verser 500 francs. Cassant sa tirelire, il prélève
l'argent donné par sa grand-mère pour sa communion solennelle. Fier
de ce succès, le copain ne s'arrête pas en si bon chemin: il vient
attendre Michel à la sortie du collège.   10

     'Donne-nous mille francs, sinon on te casse la figure!' Face à la
bande de petits durs, Michel ne fait pas le poids. Terrorisé, il puise
dans la caisse de ses parents, des commerçants aisés. Chaque jour les
menaces se font plus précises, les sommes demandées ne cessent
d'augmenter.   15

     De santé fragile, Michel en perd le sommeil et refuse d'aller au
collège. Quand, quelques jours plus tard, son père l'interroge, il
s'effondre et, soulagé, finit par tout lui raconter. Bilan du racket:
17 000 francs en un mois . . .

     Monté en épingle par la presse à sensation, amplifié par l'anxiété   20
des parents, ou nié par des proviseurs soucieux de ne pas ternir la

169

réputation de leur établissement, le racket est un de ces phénomènes dont l'ampleur reste très difficile à mesurer ... Selon le ministère de la Justice, une victime sur dix seulement porterait plainte.

Julien 25

A ce racket au long cours, qui débouche parfois sur le drame, vient s'ajouter une nouvelle forme d'agression: le vol, sous la menace, de vêtements de marques particulièrement prisées des adolescents. Une catégorie bien précise de jeunes est visée: les treize–seize ans des quartiers aisés. 30

Paris, neuf heures du matin, devant la porte d'un grand lycée, Julien, seize ans, est brusquement entouré par trois jeunes gens. Goguenards, ceux-ci le complimentent sur ses 'chouettes grolles', puis deviennent menaçants. Donnant un coup de tête droit devant lui, Julien s'engouffre à l'intérieur du lycée, talonné de près par ses trois 35 racketteurs. Malheureusement, il est neuf heures passées, et, les cours étant déjà commencés, couloirs et galeries sont déserts. Julien, qui court à perdre haleine, est bientôt rattrapé par ses poursuivants devant sa classe, où se déroule la leçon de latin: une porte seulement le sépare de ses camarades. 'Tes grolles, vite! Pas un mot, sinon on te 40 bute!' Un poing lui arrive droit dessus, Julien hurle.

Bondissant de sa salle, le professeur de latin a juste le temps de voir trois jeunes s'enfuir à toute vitesse. Immédiatement, l'alerte est donnée et le lycée est bouclé. A 9h20, deux des racketteurs sont pris, le troisième a réussi à filer en se faisant passer pour un des 2 000 45 élèves. A 9h30, la police est sur les lieux.

Depuis des mois, effectivement, des racketteurs sévissaient autour du lycée. Opérant dans un premier temps sur le trottoir d'en face, où ils faisaient les poches des petits, ils se sont peu à peu rapprochés de l'établissement. Armés de couteaux, des jeunes de dix-huit–vingt ans 50 se sont mis à attendre les lycéens à la porte.

De telles affaires ne sont jamais des faits isolés. Elles sont le plus souvent l'aboutissement de violences qui empoisonnent la vie du quartier.

Le commissaire du quinzième arrondissement, prévenu, demandait 55 que les victimes de racket viennent témoigner à la police avec leurs parents. Ceux-ci, par peur des représailles et pour ne pas traumatiser leurs enfants déjà choqués par l'agression, avaient préféré, pour la plupart, garder le silence.

Or, c'est précisément ce silence qui fait le jeu des racketteurs. 60

Depuis l'affaire de Julien, dont la presse a beaucoup parlé, le calme est revenu à ce lycée parisien.

[texte abrégé]
Reader's Digest Sélection

Vocabulaire

l'aboutissement (m) *culmination*
boucler *to seal off (here)*
buter *to kill*
déboucher sur *to lead to (here)*
effectivement *really, actually*
s'effondrer *to collapse*
l'engin (m) *machine, vehicle* (le moteur *engine*)

épingle (f): monté en épingle *blown up out of proportion, much exaggerated*
goguenard *jeering, mocking*
la grolle *(slang) shoe*
puiser *to take money from (here); to draw from*
sévir *to run wild (here)*
ternir *to tarnish*

A Exprimez en vos propres termes en français ce que vous entendez par les expressions suivantes:

1 ... le copain ne s'arrête pas *en si bon chemin.* ... (ligne 9)
2 ... *Michel ne fait pas le poids.* ... (ligne 12)
3 ... *ils faisaient les poches des petits,* ... (ligne 49)
4 ... ce silence, qui *fait le jeu des* racketteurs. ... (ligne 60)

B Complétez les phrases suivantes, en cherchant dans le texte les détails nécessaires pour donner le sens correct:

1 Un jour, Michel, ayant envie de faire un tour en mobylette, ... d'un copain.
2 Les petits durs menacent ... , si Michel ne leur remet pas mille francs.
3 Michel a tellement peur de la bande qu'il trouve impossible ... et finit ... aller au collège.
4 Voulant ... la réputation de leur établissement, certains proviseurs ... l'existence d'un racket.
5 Parfois le racket risque d'avoir ... graves pour la victime.
6 Les racketteurs qui les agressaient devant le lycée avaient pour but de ... lycéens.
7 Grâce ... latin qui a vivement réagi, on a pu ...
8 La plupart des parents croyaient protéger leurs enfants en ...

2   La Drogue en France

Lisez attentivement le texte suivant, puis répondez en français aux questions.

Les Victimes

Frédéric   1

'Il était beau, doué, charmeur, privilégié. Aujourd'hui, ce type va vers la mort.' C'est avec un infini chagrin que Marie raconte la dérive de Frédéric, 30 ans, héroïnomane depuis quinze ans, qui entraîne sa famille dans la peur, la douleur et la ruine. Marie est la   5
tante de Frédéric. Ses parents, eux, sont muets. Comme beaucoup d'autres.

Élevé dans une banlieue chic de l'Ouest parisien, Frédéric a découvert la drogue au lycée. Après quelques années affreuses, ses parents l'ont envoyé en cure à San Francisco. C'était cher, mais on   10
notait de bons résultats chez les adolescents européens, déracinés. A peine arrivé, Frédéric a vendu sa valise. Il a embobiné un restaurateur qui s'est pris d'amitié pour lui et voulait en faire un grand cuisinier. Il a filé avec la caisse. Puis, c'est un curé français qu'il a dévalisé. Quand les flics l'ont arrêté, il cumulait 28 chefs d'inculpation, dont 'attaque à   15
main armée'. Six ans de prison dans l'Ouest américain. Une vie dure, mais un rythme régulier, immuable. 'Parfois,' confie Marie, 'il lui arrive dans son délire, de regretter la prison, où il avait des repères, et où, surtout, il n'avait pas le choix.' Puis, on l'a libéré. Revenu à Paris, il a replongé.   20

Marie évoque les ruses, les mensonges, la perversité de Frédéric, l'angoisse quotidienne, la spirale de désespoir dans laquelle la famille a sombré . . .

Florence

A quoi monsieur et madame L. – lui enseignant, elle fonctionnaire des   25
PTT – doivent-ils leur malheur? Une famille unie à laquelle rien ne pouvait arriver. Florence avait vingt ans. Elle était inscrite en fac de médecine, avait couru le marathon de Paris. C'était une belle fille. Elle est morte d'une overdose il y a sept ans. Depuis, chaque matin, son père s'interroge: 'Est-ce ma faute? C'est vrai que je m'épanche peu et   30
que je ne voulais pas être un père laxiste. Mais une grosse tendresse passait entre nous.' Pendant ses quatre années sous héroïne, sa fille en

a fait son ennemi. Trop froid, trop distant. Dans la famille L. ... on était libre. Pourtant, le drame a surgi.

Florence, qui avait un job d'été, a rencontré des gens peu   35 recommendables qui vomissaient la famille et la société. Elle s'est amourachée d'un camé, a voulu une année sabbatique, s'est enfuie du foyer. Son père l'a récupérée dans le Forum des Halles. Quelques jours plus tard, son copain s'est fait égorger dans les couloirs du métro.   40

Les promesses: 'Je vais m'en sortir, je peux arrêter quand je veux.' Madame L. a cessé de travailler. Longtemps, elle a suivi sa fille. Passant dans les magasins pour payer ce que Florence volait ...

[texte adapté]
L'Express

Vocabulaire

le camé(e) *drug addict*
le chef d'inculpation *charge*
déraciner *to uproot*
la dérive *drift*
dévaliser *to rob*
égorger *to slit the throat of*
embobiner *to hoodwink*

s'épancher *to show one's feelings*
immuable *unchanging*
récupérer *to fetch (back)*
le repère *bearing*
sombrer *to sink, founder*
vomir *loathe (here)*

A Répondez aux questions en français:

1 Quel âge avait le neveu de Marie quand il a commencé à se droguer?
2 Expliquez le mutisme des parents de Frédéric.
3 Quel espoir nourrissaient les parents en l'envoyant aux États-Unis?
4 Qu'est-ce qui montre que Frédéric n'avait aucune intention de faire la cure?
5 Pourquoi Frédéric a-t-il dû rester si longtemps en prison?
6 Pourquoi, retrospectivement, regrette-t-il la prison?
7 Quelles études Florence avait-elle choisi de faire en quittant le lycée?
8 Quels reproches est-ce que son père se fait depuis sa mort?

9 Quelles décisions prises par Florence cet été-là allaient sûrement troubler ses parents?

10 Pourquoi Madame L. a-t-elle quitté ses fonctions?

B Dressez une liste des douze mots qui manquent dans les phrases ci-dessous. Donnez une forme grammaticale appropriée (verbe, substantif, adjectif, etc.) à un mot appartenant à la même famille que celui entre parenthèses à la fin de chaque phrase.

exemple Il a pris la _____ en voyant les flics. (s'enfuir)
réponse fuite

1 Malgré la piqûre, sa jambe était toujours _____. (douleur)
2 L'inspecteur le soupçonnait d'avoir _____. (mensonge)
3 La plupart des _____ prennent le métro. (banlieue)
4 Ils causaient _____ à la terrasse du café. (amitié)
5 C'était la _____ qui avait remarqué que la signature était contrefaite. (caisse)
6 Il y a un bon service d'après-_____ (vendre)
7 La mort de sa fille avait _____ le docteur. (désespoir)
8 L'_____ de leur fille à la faculté leur a fait très plaisir. (inscrit)
9 Ils sont allés à sa _____. (rencontrer)
10 Ils ont _____ les trafiquants à la justice. (livraison)
11 Le Tour de France est une _____ cycliste mondialement connue. (courir)
12 De nos jours il y a plus de problèmes _____ qu'autrefois. (famille)

3 Lisez attentivement les textes suivants, puis faites les exercices.

Violence au cinéma, violence dans la rue

La violence à l'écran suscite-t-elle la violence dans la vie réelle? Qu'on   1
en juge: aux États-Unis, certains films provoquent de façon si
absolument prévisible des bagarres et des coups de feu dans les rues
des quartiers où ils sont à l'affiche que la municipalité fait
automatiquement appel à un renfort policier dès qu'ils sont   5
annoncés . . .

Les Américains sont tous les jours confrontés au problème de la violence. Dans beaucoup de villes du monde, le malaise social grandit et les films 'd'action' lui confèrent une résonance nouvelle. Autrefois, on tournait des histoires de cow-boys galopant dans d'immenses 10 paysages et bravant des dangers évanouis depuis longtemps. Les 'méchants' étaient toujours perdants; l'aventure du scénario offrait les séductions de l'évasion et non pas une tranche de vie au quotidien ...

Pour que leur production puisse 'mériter' les superlatifs employés, les scénaristes et les réalisateurs épluchent les rapports des zones où 15 les crimes sont très fréquents, pour connaître dans le détail les affaires les plus horribles. Résultat: les jeunes délinquants de Los Angeles se précipitent pour voir ces films afin d'y puiser des idées de stratégie, de beaux coups à monter ...

Pour se défendre contre les accusations de provocation délibérée 20 sur le thème: plus fort est le choc, meilleures sont les recettes au box-office, les producteurs prétendent, dans leur publicité, qu'ils enseignent la rançon du mal. Parmi les arguments inclus dans les slogans, on trouve: 'Un courageux message antidrogue', 'Un film puissant d'une haute tenue morale'. Les résultats n'en demeurent pas 25 moins: destruction aveugle et atteintes physiques. L'appétit pour les images crues grandit avec sa satisfaction, et la réalité quotidienne imite ce qu'il devient de plus en plus difficile de qualifier d'art ...

Il existe une barrière au-delà de laquelle le réalisme n'est plus ni art ni divertissement, mais simple voyeurisme sadomasochiste qui, 30 l'expérience américaine le prouve, efface tellement la distance entre réel et imaginaire que cela peut conduire au meurtre. Cette distance est pourtant essentielle à toute société civilisée. Ce n'est pas l'esprit mercantile qu'il faut accuser, mais l'indifférence du public, ou plutôt son consentement à l'abolition de toutes valeurs. 35

Aussi longtemps que la demande existera dans les salles, on continuera à produire de tels spectacles. Il faudrait donc que les contraintes que la plupart des gens imposent à leur comportement de consommateur pour éviter soit la pollution de l'environnement, soit les risques pour leur santé puissent s'appliquer au domaine du cinéma 40 par un refus de tolérer ces films.

[texte adapté]
L'Express

Violence et télévision

Périodiquement, la violence sur les écrans surgit comme sujet de controverses passionnées. Un nombre croissant de téléspectateurs a le sentiment que la télévision française diffuserait de plus en plus d'images traumatisantes (meurtres, viols, agressions diverses), sans d'ailleurs que des études comparatives entre hier et aujourd'hui puissent confirmer cette impression . . .

De l'autre côté, producteurs et diffuseurs s'engagent dans le débat. Arguant de leur sens des responsabilités, ils s'élèvent contre toute mesure de contrainte qui briderait la création culturelle et la liberté d'informer. Ils font valoir à juste titre que, pour l'essentiel, la violence urbaine émane d'autres causes. Et de citer le chômage, la drogue, l'effondrement de l'autorité parentale, la perte des valeurs . . .

La violence télévisée prospère surtout dans la fiction américaine, bien davantage que dans la fiction française qui, de ce point de vue, se révèle plutôt édulcorée. Téléfilms et séries américains constituent plus de 50 pour cent de la fiction diffusée sur nos écrans. Évoquer la violence conduit à mettre sur la sellette les productions de Hollywood où prospère la brutalité télévisuelle. Cette industrie créative et florissante représente l'essentiel des ventes de fiction dans le monde.

1

5

10

15

20

[extraits]
Le Monde

Vocabulaire

affiche: être à l'affiche (f) *to be showing*
brider *to curb*
édulcoré *watered down*
éplucher *to go through with a fine-tooth comb*

prétendre *to claim*
la rançon *price, wages (here)*
sellette: mettre sur la sellette *to put in the hot seat*
valoir: faire valoir *to point out (here)*

A Dites si les constatations suivantes sont vraies ou fausses, puis corrigez celles qui sont fausses:

1 Dans les quartiers où l'on passe ces films violents, un renfort policier est nécessaire pour s'occuper des bagarres.

2 Les westerns qu'on tournait autrefois permettaient au public de fuir un moment la réalité.

3 Dans ces westerns les 'méchants' ne gagnaient que rarement.

4 Les scénaristes font des recherches détaillées pour présenter leur 'tranche de vie' d'une manière objective.

5 Les délinquants s'inspirent de ces films violents.

6 Selon ceux qui critiquent les producteurs, moins les films sont choquants, meilleures sont les recettes du box-office.

7 En lisant leur publicité, on a l'impression que les producteurs tournent ces films pour des raisons purement morales.

8 Selon l'auteur de cet article, un excès de réalisme prive un film de sa valeur artistique et de sa capacité de divertir.

9 L'auteur croit aussi qu'un manque de zèle commercial et l'indifférence du public sont responsables de l'état actuel des choses.

10 Pour se défendre, les producteurs et diffuseurs français attribuent la violence urbaine à d'autres causes que la violence télévisée.

B Refaites les phrases suivantes en remplaçant les mots et les expressions soulignés par des mots ou des expressions que vous aurez trouvés dans 'Violence au cinéma, violence dans la rue'. Si besoin est, changez la forme grammaticale des mots trouvés.

exemple   Ces incidents _démontrent_ la nécessité de renforcer la police.
réponse   Ces incidents prouvent la nécessité de renforcer la police.

1 En entendant sonner l'horloge de l'église, il regarda _machinalement_ sa montre.

2 Cette idée est _complètement_ fausse.

3 Il passait _quotidiennement_ chez sa grand-mère.

4 Ils _font_ régulièrement _face_ à de tels problèmes.

5 Le nombre de films violents _augmente_ d'année en année.

6 Il est _indispensable_ de maintenir ces valeurs.

7 Il ne peut pas _supporter_ cette violence gratuite.

8 C'était une attaque _préméditée_.

9 Il avait donné son _accord_ au projet.

10 Cette attitude négative _aboutit_ à l'indifférence.

■■■ Deuxième partie

1   L'Inversion

Notes

1 Vous aurez souvent eu besoin de placer le sujet après le verbe dans les circonstances suivantes:

    a En posant des questions directs:

        Est-ce vrai?

        Ne l'*avez-vous* pas lu?

        Pourquoi les parents ne *veulent-ils* pas parler du racket?

    b En employant un verbe déclaratif ((se) dire, (se) demander, ajouter, répondre, etc.) *après* un énoncé:

        'Ca dépend', *répondit-il*.

        'Je crois que non,' *a-t-elle dit* /leur *a dit la patronne*.

        'Voulez-vous savoir pourquoi?' me *demanda le père* de l'élève.

2 L'inversion est également nécessaire dans les propositions *commençant par* les adverbes et les locutions adverbiales ci-dessous:

    Aussi [= par conséquent] devrons-nous changer de méthode.

    A peine les agents furent-ils descendus de leur voiture, *qu'*un coup de feu retentit.

    Sans doute se plaindront-ils du bruit.

    En vain chercha-t-il ses compagnons.

    Du moins a-t-il envoyé ses excuses.

    Peut-être y aura-t-il moins de violence télévisuelle à l'avenir.

NB On dit aussi: Peut-être *qu'*il y aura moins de . . .

3 Dans les cas suivants, il n'y a pas d'inversion:

    a *Non seulement* il avait commencé à pleuvoir mais en plus le touriste s'était égaré.

    b *Jamais* il ne s'était senti si abattu.

A Refaites les phrases suivantes en les commençant par l'adverbe ou la locution adverbiale entre parenthèses:

exemple Les camés avaient été si nombreux.   (jamais)

rèponse Jamais les camés n'avaient été si nombreux.

1 Il sera de retour ce soir.   (sans doute)
2 Les derniers clients étaient sortis et il fermait les volets.   (à peine
. . . que . . .)
3 Il essaya de les en dissuader.   (en vain)
4 Ils lui avaient volé son blouson et ils menaçaient de tuer son
chien.   (non seulement . . . mais encore . . .)
5 Ils changeront d'avis en lisant le rapport officiel.   (peut-être).
6 Ils seraient à l'abri de la pluie dans les couloirs du métro.   (du
moins)
7 On avait trouvé de telles quantités de cannabis.   (jamais)
8 Ses parents ont porté plainte au commissariat.   (aussi)

2   Faire

A Refaites les phrases suivantes en remplaçant les verbes soulignés
par 'faire' suivi d'un nom convenable. Voici les noms dont vous aurez
besoin:

(très) plaisir	preuve (de)
semblant (d'être)	demi-tour
confiance (à)	(mes, etc.) excuses (à)
peur (de)	(grand/peu de) cas (de)
cadeau (de)	mal (à)

exemple   <u>Veillez</u> à ce que les clients aient tout ce qu'il leur
faut.   (attention)
réponse   Faites attention à ce que les clients aient tout ce qu'il leur
faut.

1 Pour son anniversaire sa grand-mère lui <u>offrit</u> une montre.
2 Ils <u>se sont retournés</u> en entendant la sirène.
3 Ils <u>accordent beaucoup d'importance à</u> la langue parlée.
4 Elle <u>s'était blessée</u> au bras en tombant.
5 Elle <u>manifestait</u> une patience d'ange.
6 Cela me <u>plairait beaucoup</u> de les revoir.
7 Il <u>simulait</u> la fatigue.
8 Cette petite brute s'amusait à <u>intimider</u> les élèves de sixième.
9 Pourvu que <u>vous vous en remettiez à</u> lui, cela ne posera aucun
problème.
10 Ils <u>s'excusèrent auprès du</u> professeur.

3   'Faire' comme factitif

Notes

1 Le verbe 'faire' s'emploie souvent comme factitif *devant un infinitif*.
Le sujet *fait faire* l'action, *sans agir lui-même (to have/get something done)*:

Il a *fait réparer* sa montre par l'horloger.

Il a l'intention de *faire peindre* la maison en blanc.

2 Aux temps composés et à l'infinitif passé, le participe passé reste
invariable:

Je les ai/avais/aurais *fait* attendre.

Après les avoir *fait* entrer . . .

3 Comparez:

Je les/l'ai fait écouter. [les/l' = objets directs]

Je leur/lui ai fait écouter ⎰ *l'histoire.*

⎨ *ce qu'il disait.*

⎱ *cela.*

[l'histoire/ce qu'il disait/cela = objets directs]

Quand l'infinitif qui accompagne 'faire' a un objet direct (ou une
proposition ayant la même fonction), les pronoms personnels 'le', 'la',
'les' sont indirects.

A Sans recopier les phrases suivantes, complétez-les en insérant 'le',
'la', 'l'', 'les' ou 'lui', 'leur' pour remplacer les noms entre parenthèses.

exemples

1 Je . . . ferai voir ma collection de pins.   (mes amis)

2 Il faillit . . . faire trébucher.   (l'arbitre)

réponses

1 leur

2 le

   1 L'institutrice . . . faisait lire.   (ses élèves)

   2 L'institutrice . . . faisait lire *Les Fables de La Fontaine*.   (ses élèves)

   3 Il ne faut pas . . . faire attendre.   (ta mère)

   4 Ils . . . firent monter les bagages.   (la femme de chambre)

   5 Elle . . . a fait répéter ce que la voisine avait dit.   (ses filles)

6 En rentrant, il ... fera ranger leurs affaires.   (les enfants)

7 Il ... avait fait venir tout de suite.   (le plombier)

8 Le commentateur ... a fait parler de leurs exploits.   (les rugbymen)

4 Refaites les phrases suivantes en remplissant les blancs. Il s'agit d'insérer convenablement les douze locutions prépositives ci-dessous:

au-dessous de	à l'aide de	à portée de
face à	lors de	par rapport à
à l'abri de	au détriment de	à l'insu de
en faveur de	à l'instar de	en mal de

1 ... l'inauguration du nouveau collège, le préfet a parlé du besoin urgent d'attirer à la ville de nouvelles entreprises.

2 ... le nombre croissant de toxicomanes, la brigade a redoublé de vigilance.

3 Les survivants de l'avalanche avaient pu se mettre ... le vent glacial.

4 ... leurs héros de films violents, les jeunes chômeurs des cités ont semé la pagaille.

5 Elles faisaient la quête ... les handicapés.

6 ... le personnel, qui n'en savaient pas un mot, on avait décidé de fermer cette succursale.

7 La température restait ... zéro, même pendant la journée.

8 Ces produits, dont on fait régulièrement la publicité, ne sont pas ... de tous les téléspectateurs.

9 Quoique diplômés, la plupart des candidats sont ... expérience.

10 ... ses parents, qui la croyaient chez une amie, elle était sortie en boîte.

11 Il est plutôt médiocre en classe ... son frère aîné.

12 Il est parvenu à traduire le texte ... un dictionnaire.

5 Traduisez en anglais 'Violence et télévision' à la page 176 depuis 'Périodiquement, la violence ...' jusqu'à '... se révèle plutôt édulcorée'.

6 Traduisez en français le passage suivant:

Une violence endémique

Never has there been as much school violence in France as at the present time, especially in the Paris region where, recently, teachers went on strike in several schools because of the unacceptable behaviour of certain individuals. Not only have pupils been robbed on their way to school but pitched battles between rival gangs have taken place within the schools and teachers have been threatened or assaulted in their classrooms.

It is only too easy to blame[1] television violence for what is happening. One must take into account the lack of regular employment which can create tensions in the home and deprive some of the school-leavers of all hope. No doubt the situation would improve if the police were able to eradicate the drug traffic.

1 comparer: Il attribuait ses mauvaises notes en anglais à ses absences

Vocabulaire
scolaire   faire la grève   intolérable   l'individu (m)   la bataille rangée
au foyer   priver   un élève sortant   faire disparaître

7 Faites une liste:

A des critiques sévères lancées contre les cinéastes américains par l'auteur du premier article;

B dans le deuxième article, des raisons données par les cinéastes français pour justifier leur choix de thèmes.

Key to grammar exercises (deuxième partie)

Chapitre 1

1 **A** 1 ... voulais ... 2 ... prenaient ... 3 ... écrivait ... 4 ... n'étais ...
5 ... disait ... 6 ... allais ... 7 ... venait ... 8 ... servait ...
9 ... faisais ... 10 ... finissait ...

B 1 ... savais ... passaient ... préféraient ... 2 ... faisait ... entendait ...
était ... courions ... fallait ... 3 ... lisait, proposait ... étaient ... espérait ...
habitaient ... 4 ... surveillait ... venait ... avais ... disait ... était ... donnait
... trouvions ...

2 **A** 1 ... du ... à l' ... aux ... 2 Au ... de l' ... à l' ... des ... 3 ... au ...
du ... au ... du ... 4 ... au ... des ... du ... au ... 5 ... des ... aux ...
6 ... à la ... à l' ... au ...

3 **B** 1 ... le français ... une langue ... l'allemand ... 2 ... la Pentecôte ... la
cheville ... l'échange ... les autres ... 3 ... le week-end ... l'habitude ... une
randonnée ... la campagne ... 4 ... un métier ... les pilotes ... 5 ... le
monde ... l'impression ... les Anglais ... les chiens 6 ... la tête ... le
syndicat ... l'autre ... la rue

Chapitre 2

1 **A** 1 Ils sont allés ... 2 Elles sont reparties ... 3 La femme de chambre a
descendu ... 4 Quand êtes-vous revenus ... ? 5 Il a perdu ... et est
tombé ... 6 Les enfants sont rentré(e)s ... 7 A quelle heure es-tu sortie ... ?
8 Nous sommes restés ...

B 1 Son amie est rentrée ... la semaine dernière. 2 Elle n'est pas restée ...
3 Mes cousines sont retournées ... mardi dernier. 4 Qu'est-il devenu?
5 Qu'est-ce qui est arrivé? 6 Sa grand-mère est sortie ... avant-hier.
7 Louise et sa tante sont passées ... hier. 8 Ils sont partis ... il y a quinze
jours.

2   **A**   **1** des; de   **2** de; du; de; des; de   **3** de; du   **4** de; de   **5** de l'

     B   **1** . . . davantage de voitures . . . nombre croissant d'accidents . . . de nombreux chauffeurs . . .   **2** Que de bruit! . . . quelque chose d'anormal . . . pas assez d'agents . . . la foule de passants.   **3** . . . avait du mal . . . groupes de spectateurs, hurlant des injures . . . personne de blessé.   **4** . . . des pâtes . . . dans de l'eau bouillante . . . deux cuillerées d'huile d'olive . . . du sel.

3   **A**   **1** L'infirmière a dit qu'on avait trouvé la veille un vieux mendiant sans vie au sous-sol et qu'elle n'y était pas descendue depuis.   **2** Il leur a expliqué que sa voiture était tombée en panne.   **3** Elle m'a demandé si je m'étais remise de mon accident.   **4** Le commissaire a dit à son adjoint que la rentière dont on lui avait envoyé une photo était morte.   **5** Il nous a demandé à quelle heure nous étions arrivés chez notre tante.

     B . . . est entré . . . étaient . . . parlaient . . . avait garé . . . a dit . . . l'avait vu . . . ouvrait . . . était . . . allait . . . ont éclaté

Chapitre 3

1   **A**   **1** . . . auras . . .   **2** . . . devrais . . .   **3** . . . sera . . .   **4** . . . dirai . . . se plaindront . . .   **5** . . . aurait . . .   **6** . . . verrait . . . ferait . . .   **7** . . . suivrais . . .   **8** . . . faudra . . .

2   **A**   **1** . . . qui . . .   . . . qu' . . .   **3** . . . dont . . .   **4** . . . qui . . . dont . . .   **5** . . . dont . . .   **6** . . . dont . . .   **7** . . . qu' . . .   **8** . . . dont . . . qui . . .

     B   **1** Il venait de recevoir comme cadeau un nouveau vélo *dont il était très fier.* **2** La perspective des examens *qu'il passerait le lendemain*, ne le réjouissait pas. **3** Le surveillant *qui se promenait dans la cour* a mis fin à la bagarre.   **4** Il a choisi de s'asseoir à côté de Michel, *dont il espérait copier les réponses.*   **5** Il ne pouvait s'empêcher de remarquer les progrès en maths *que les élèves avaient accomplis au cours du trimestre.*   **6** Les petits vols *qui avaient souvent lieu au paravant*, ont pratiquement disparu.   **7** Les deux 'requins' *que nous avions promis d'aider*, se tenaient devant le tableau noir.   **8** Il a trouvé chez le libraire un exemplaire du livre *dont le professeur d'histoire avait fait mention la veille.*

Chapitre 4

1   **A**   **1** Il leur a dit: 'Dépêchez-vous!'   **2** Mon père m'a demandé: 'Veux-tu te faire pharmacien?'   **3** Il nous a demandé: 'Pourquoi ne vous-êtes vous pas adressés à la concierge?'/'Pourquoi est-ce que vous ne vous êtes pas adressés . . .'   **4** Le docteur a dit au patient: 'Allez vous asseoir dans la salle d'attente!'   **5** Il a dit à son collègue: 'Je pourrai m'en occuper demain matin.'   **6** Nous leur avons demandé: 'Combien de fois par semaine vous entraînez-vous?'/'Combien de fois par semaine est-ce que vous vous entraînez?'   **7** Elle a dit, au téléphone: 'Je ne me suis pas fait mal.'   **8** Elle a dit à son fils: 'Brosse-toi les dents avant de te coucher!'

B   **1** La brume _se_ dissipait et je _me_ suis mis à sourire en _me_ rendant compte que nous pourrions _nous_ mettre en route presque tout de suite.   **2** Ne _vous_ inquiétez pas! Je suis sûr qu'il _se_ débrouillera tout seul.   **3** Est-ce que tu _te_ rappelles ce qui s'est passé après l'accident?   **4** Nous _nous_ approchions de la poste quand un cri aigu s'est fait entendre. En _me_ retournant j'ai aperçu une vieille dame qui s'appuyait contre un réverbère.   **5** Après _nous_ être débarrassés de nos bagages à la consigne, nous _nous_ sommes assis près d'un kiosque où _se_ trouvaient un groupe de jeunes Allemands.   **6** Si vous voulez _vous_ servir de ces facilités de paiement, il faut _vous_ adresser au caissier.   **7** Ce soir-là il _se_ sentait trop fatigué pour _se_ rendre au club. Sa femme croyait qu'il _se_ surmenait.

C   **1** . . . ce qui s'était passé.   **2** . . . leur marché, se sont tues.   **3** On se méfiait du nouveau médecin.   **4** . . . qu'elle s'était égarée.   **5** 'Dépêche-toi! . . .   **6** Il s'efforçait de rester . . .   **7** . . . de me mettre en route . . .   **8** . . . , elle s'est évanouie.   **9** Il s'était retourné en entendant . . .   **10** Ils se sont mis à soigner . . .

2   **A**   **1** . . . le président opéré d'urgence hier soir ne . . .   **2** . . . le vieillard renversé par un taxi . . .   **3** L'augmentation des cotisations déjà approuvée par le ministre . . .   **4** . . . examens médicaux subis par les patients . . .   **5** Encouragées par leur premier succès, elles . . .

Chapitre 5

1   **A**   **1** . . . sentant . . .   **2** Voyant . . .   **3** Ayant . . .   **4** . . . étant . . .   **5** . . . prenant . . .   **6** . . . sachant . . .   **7** . . . lisant . . .   **8** . . . choisissant . . .   **9** . . . atteignant . . . suivant . . .

B **1** En lisant ma lettre, . . . **2** En entendant la voix de son mari, . . . **3** . . . , me regardant d'un œil méfiant, . . . **4** Ne pouvant pas mes clefs, . . . **5** . . . , en descendant lentement la rue principale. **6** Ayant enfin réussi à dépasser le tracteur, il . . . **7** Ne connaissant pas la région, . . . **8** . . . , en faisant une pause toutes les deux heures.

2 **A** **1** . . . son plus vieux pullover. **2** . . . une des meilleures voitures . . . **3** . . . nos élèves les plus paresseuses. **4** J'aime le mieux le potage . . . **5** . . . un des plus beaux monuments . . . **6** Le conducteur le plus dangereux . . . **7** . . . j'aime le moins, c'est . . . **8** . . . un des pires accidents . . . **9** . . . la moindre envie . . . **10** . . . avaient été le plus grièvement blessés.

B **1** . . . plus de . . . dans un . . . qu'un . . . **2** . . . années . . . moins de . . . qu' . . . **3** . . . aussi . . . que les . . . beaucoup/la plupart . . . plus . . . **4** . . . la période/la saison . . . sont . . . plus . . . que d' . . . **5** . . . plus de . . . les chemins . . . moins . . . que les . . . **6** Moins . . . à la . . . que leurs . . . sont plus . . . **7** . . . des/relégués dans les . . . plus . . . moins de . . . que les . . . **8** . . . mieux . . . plus . . . plus large . . . pneus . . . mieux . . .

Chapitre 6

2 **A** **1** S'il ne *recevait* pas de réponse, il *s'inscrirait* au chômage. S'il *n'avait pas reçu* de réponse, il *se serait inscrit* au chômage. **2** Si le patron *est* absent, elle *s'occupera* des clients. Si le patron *avait été* absent, elle *se serait occupée* des clients. **3** Si l'on m'*embauchait*, je *pourrais* loger chez ma tante. Si l'on m'*avait embauché(e)*, j'*aurais pu* loger chez ma tante. **4** Si je *ne suis pas* admis, mes parents *seront* très déçus. Si je *n'avais pas été* admis, mes parents *auraient été* très déçus. **5** Si l'on *rejette* sa candidature, il *devra* travailler comme intérimaire. Si l'on *rejetait* sa candidature, il *devrait* travailler comme intérimaire.

B **1** . . . écrirez. **2** . . . auriez-vous fait . . . **3** . . . aurai dîné . . . nous nous occuperons **4** . . . aurait . . . **5** . . . aurait étudié . . . **6** . . . aura . . . voudrez. **7** . . . pourrait . . . aurait consulté **8** . . . se seraient inquiétés . . .

3 **A** **1** *Je l'ai* priée de *s'*asseoir. **2** *Ils m'auraient* défendu de *me* baigner. **3** *Je lui ai* dit qu'en *se* taisant *elle ferait* plaisir à tout le monde. **4** Si *elle les avait* invités à l'accompagner, *ils auraient* refusé. **5** En *le* voyant, *nous nous sommes* sauvé(e)s. **6** *Vous allez* les lui offrir, n'est-ce pas? **7** *Ils se sont* glissés parmi *ses* invités, sans qu'*elle les remarque.* **8** *Vous auriez* dû *me* parler plus tôt de *vos* projets pour l'été.

B 1 ... de me *l'*envoyer ... 2 ... *les* avait longuement étudiées ... 3 ... de *l'*avoir décroché. 4 ... à *les lui* envoyer. 5 Ne *l'*oubliez pas! 6 Rends-*la-lui* ... 7 Il nous *l'*a déjà présentée. 8 ... qui *les* a reçus.

C 1 'Relisez-les avant de me les remettre.' 2 'Je vais les corriger ce soir et je vous les rendrai demain matin.' 3 'J'espère vous revoir l'année prochaine quand j'aurai fini mes examens de fin d'études.' 4 'N'oubliez pas de me faire savoir l'heure de votre arrivée.' (*or* 'N'oublie pas ... ton arrivée.') 5 'Je vous téléphonerai quand ma femme et moi aurons vu l'appartement que vous nous avez offert.'

Chapitre 7

1 **A** 1 ... ne lui restait plus d'argent. 2 ... ne sort presque jamais ... 3 ... n'a rien trouvé d'intéressant ... 4 Il n'y a jamais personne ... 5 Aucun des touristes n'aimait ... 6 ... n'avez rien d'autre ... 7 ... de n'en parler à personne. 8 '... n'ai plus envie ...' 'Ni moi non plus.' 9 ... de ne rien faire. 10 Personne n'était venu ... 11 Ils n'en ont vu nulle part. 12 ... n'est nullement ...

B 1 Aucun ... n'a ... 2 ... pas ... 3 ... n'éprouvait aucune ... 4 ... ne jamais ... 5 ... ne ... nulle ... 6 N' ... rien ... 7 ... ne pas ... 8 Pas/Plus ... ni sa femme ni lui ne ... jamais ...

2 **A** 1 ... d'*en* êtres privés ... *y* ont manifesté. 2 ... ne s'*y* attendait pas. 3 ... *le* voici ... *les* rassurer ... n'*en* a pas ... 4 ... *y en* a acheté. 5 ... *l'*a accusé d'*en* abuser. 6 ... s'*y* intéresse ... 7 ... ne *leur en* a pas ... 8 ... de *les en* empêcher.

Chapitre 8

1 **A** 1 il ait; nous soyons; ils aient; nous ayons; elle soit 2 ils fassent; nous puissions; tu saches; il aille; tu veuilles 3 il traduise; je me plaigne; tu aperçoives; elle entende; tu choisisses 4 nous recevions; vous fassiez; ils aillent; vous voyiez; il sorte

B 1 ... apprenions ... 2 ... soit ... 3 ... ait ... 4 ... viennes ... 5 ... veuille ... 6 ... aient ... 7 ... aillent ... 8 ... puisses ... 9 ... soient ... 10 ... sachent ...

2   **A**   1 Ce qui ... qui ... qu' ...   2 ... dont ... ce qu' ...   3 ... qui ... ce qu'
... que   4 Ce dont ... qui ...   5 ... dont ... qu' ... ce qui ...   6 ... ce que ...
que ...

Chapitre 9

1   **A**   1 ... il y eut ... se levèrent ... se mirent ... nous descendîmes ...
grommela   2 ... aperçut ... repérèrent ... atteignit ... les perdit de vue ... Il
lui fallut ... il atterrit ... furent transportés ...

2   **A**   1 ... celle ...   2 ... ceux ...   3 ... celui ...   4 ... celui-ci ...
5 ... celles ...   6 ... ceux ...   7 ... ceux-là ... ceux-ci.   8 ... celui ...
9 ... celles ...

Chapitre 10

1   **A**   1 ... il y en aura ...   2 ... qu'il y avait eu ...   3 ... il y eut ...   4 Il n'y
avait pas ...   5 ... qu'il y en aurait ...   6 ... y avoir ...   7 ... il y aurait
eu ...   8 Quoiqu'il y ait ...   9 ... y a-t-il ...   10 ... qu'il y en aura ...

   B   1 Il me semble qu'on ...   2 Il suffisait de lire ...   3 Il vaudrait mieux
sélectionner ...   4 ... formation il fallait passer ...   5 Il pleuvait à verse
quand ...   6 Il m'a fallu au moins ... pour faire ...   7 Il leur restait
toujours ...   8 Il s'agissait maintenant de ...   9 Il y allait de sa réputation.
10 Il lui faudra faire ...

2   **A**   1 Lesquels ... dont ...   2 ... cours duquel ...   3 Auxquelles ...
4 ... laquelle/lesquelles ...   5 ... auquel ...   6 ... qui ...   7 ... qu' ...
8 ... dont ...   9 ... lequel ...   10 ... duquel ...

3   **A**   1 Grâce à ...   2 A partir du premier ...   3 ... à cause du mauvais ...
4 ... à l'intention des ...   5 Au cours de ...   6 ... à la recherche des ...
7 Faute de ...   8 ... au sujet de ...   9 ... au moyen d'un ...   10 A force
de ...

Chapitre 11

1 **A** 1 Comment la police fait-elle face à la situation? 2 Qu'avez-vous dit?
3 Qui est-ce qu'il veut voir? 4 Pourquoi est-ce qu'il n'est pas resté en
Roumanie? 5 Combien y a-t-il de diplômés en chômage? 6 Pourquoi les
pays occidentaux ne leur ont-ils pas donné asile? 7 Qu'est-ce qu'ils feront en
rentrant chez eux? 8 Tes parents vont-ils assister au concert?

B _Possible_ answers: 1 Combien y a-t-il d'ici à Tours? 2 Où les deux
policiers ont-ils trouvé les enfants? 3 Votre père est-il rentré à la maison?
4 Combien de temps faudra-t-il au mécanicien pour dépanner la voiture?
5 D'où vient la nouvelle prof? 6 A quoi penses-tu? 7 Pourquoi ces
Roumains voulaient-ils venir en France? 8 Que ferais-tu à ma place? 9 Qui
a conseillé aux élèves de faire un échange? 10 Quand votre fille passera-t-elle
cet oral?

2 **A** 1 C'est dommage qu'il ne puisse pas ... 2 Il est possible qu'on lui
permette ... 3 ... sans que la police l'aperçoive. 4 A moins qu'ils n'aient
de bonnes raisons ... 5 Bien qu'il se fasse tard, ... 6 Il faut qu'il sache ...
7 ... attendre qu'il ait lu ... 8 Pourvu qu'il tienne compte des ... 9 ... de
crainte qu'on ne le reconnaisse. 10 ... afin que le nombre des clandestins
n'augmente pas.

B 1 ... de peur de le perdre de vue. 2 ... pour reconduire/ramener les
clandestins en Algérie. 3 ... pour qu'ils puissent se faire valoir à l'oral. 4
Avant de les faire emmener aux cellules, ... 5 ... de peur que la vieille dame
n'entende ses pas sur le gravier. 6 ... avant que les clients (ne) soient de
retour à l'hôtel. 7 A moins que votre conduite ne s'améliore, ... 8 ... à
condition d'en acheter deux.

3 **A** 1 ... tous les jours ... 2 ... tout de suite ... 3 A tout prendre, ...
4 ... pas du tout ... 5 ... tout à l'heure ... 6 ... tout à fait ... 7 Tout de
même, ... 8 Tout à coup, ... 9 ... à toute vitesse ... 10 En tout cas, ...

B 1 ... du temps ... 2 ... à temps ... 3 ... de temps ... 4 De temps ...
5 ... du temps ... 6 ... le temps ... 7 ... de temps ... 8 ... à temps ...

Chapitre 12

1 **A** 1 ... moi ...   2 ... eux ...   3 ... soi.   4 ... toi ...   5 ... nous ...
6 ... moi ...   7 ... vous ... vous ...   8 ... elles ...   9 ... eux.

2 **A** 1 ... Depuis ... apprennent-elles ...   2 Cela fait ... que je travaille ...
3 ... était ... depuis ...   4 ... faisait ... nous n'y étions pas retournés ...
5 ... considère depuis ...

3 1 Il leur dit que si ses parents étaient d'accord, cela lui ferait grand plaisir de
partir en vacances de neige avec eux.   2 Elle a demandé à Robert ce qu'il
avait fait en se rendant compte qu'elle n'avait pas pu s'absenter du bureau.
3 Il leur a dit qu'il espérait être de retour ce soir-là, ce qui lui permettrait de les
mettre au courant de la décision du conseil.   4 Il leur a demandé pourquoi il
leur fallait remettre au lendemain ce qu'ils pourraient faire ce jour-là.   5 Il a
demandé à Pauline d'un ton maussade si elle se rendait compte qu'il
l'attendait depuis une heure et que les autres seraient partis sans eux.   6 Elle
a dit que cela faisait plus d'une heure qu'elle attendait sa correspondance et
qu'il fallait absolument qu'elle soit à l'aéroport avant midi pour chercher ses
amis anglais.

Chapitre 13

1 **A** 1 Toutes les précautions nécessaires ont été prises par les autorités.
2 Le Président fut assassiné par un partisan fanatique.   3 La circulation serait
interrompue par ces travaux.   4 La plupart des conseillers municipaux seront
déçus par les résultats des élections.   5 Les accusés ont été condamnés par le
juge à payer une amende.   6 Cette question épineuse vient d'être réglée par le
maire.   7 Selon les experts les fondations de la salle des sports auraient été
rongées par la Moselle.   8 Il faut que les équipements hospitaliers soient
modernisés.   9 Il paraît que la médaillée d'or irlandaise a été invitée à
inaugurer la nouvelle piscine.   10 Selon le maire les réformes envisagées par
le préfet ne sont pas approuvées par les habitants du village.

B 1 Des timbres se vendent ...   2 On réglera vite ...   3 Une occasion
pareille ne se trouve que ...   4 Le mystère ... ne s'est pas encore expliqué.
5 ... qu'on confond souvent.   6 ... qui ne s'achète que dans ... 7 ... qui ne
se disent jamais. 8 ... que son projet se réalise ...

2 **A** 1 heureusement 2 prudemment 3 personnellement 4 lentement
5 patiemment 6 nonchalamment 7 joyeusement 8 violemment
9 vivement 10 précisément

B   1 ... à titre officiel ...   2 Du point de vue/Sur le plan confort, ...
3 D'un geste ...   4 Dans le domaine ...   5 D'un ton/D'une voix brusque, ...
6 ... avec soin.   7 Sur le plan/Du point de vue esthétique, ...   8 ... d'un
air/d'un œil anxieux ...   9 ... sans hésiter ...   10 ... à titre d'ami ...

C   1 ... moins ...   2 Autant ...   3 ... tant ...   4 ... moins ...
5 ... autant.   6 ... tant ...   7 ... plus!   8 ... plus ... plus ...   9 ... tant ...
10 ... plus ...

Chapitre 14

1   **A**   1 Sans doute sera-t-il ...   2 A peine les derniers clients étaient-ils sortis
qu'il fermait les volets.   3 En vain essaya-t-il de ...   4 Non seulement ils lui
avaient volé son blouson mais encore ils menaçaient de ...   5 Peut-être
changeront-ils d'avis ...   6 Du moins seraient-ils à l'abri ...   7 Jamais on
n'avait trouvé ...   8 Aussi ses parents ont-ils porté plainte ...

2   **A**   1 ... sa grand-mère lui fit cadeau d'une montre.   2 Ils ont fait demi-tour
en entendant ...   3 Ils font grand cas de ...   4 Elle s'était fait mal au ...
5 Elle faisait preuve d'une ...   6 Cela me ferait très plaisir de ...   7 Il
faisait semblant d'être fatigué.   8 ... à faire peur aux élèves ...   9 ... vous
lui fassiez confiance, ...   10 Ils firent leurs excuses au professeur.

3   **A**   1 les   2 leur   3 la   4 lui   5 leur   6 leur   7 l'   8 les

4   1 Lors de l'inauguration ...   2 Face au ...   3 ... à l'abri du vent ...   4 A
l'instar de ...   5 ... en faveur des ...   6 Au détriment du personnel, ...
7 ... au-dessous de zéro ...   8 ... à la portée de ...   9 ... en mal
d'expérience.   10 A l'insu de ses parents ...   11 ... par rapport à son
frère ...   12 ... à l'aide d'un dictionnaire.

Questions in English

Chapitre 1

C'est la musique qui ouvre les portes

1 How many campers were sitting round the campfire?
2 Why was the mother not with them?
3 What was her immediate reaction on hearing the roar of the motorbikes?
4 What reason did she imagine the police might have had for coming?
5 How would you describe the atmosphere that prevailed when the motorcyclists arrived?
6 List the various factors that contributed to the creation of such an atmosphere.
7 In what ways did the young campers defuse the situation?
8 How did the motorcyclists normally spend their summer weekends?
9 Account for their initial attitude to the campers.
10 What other topics were discussed during the evening?

Chapitre 2

Qu'y a-t-il à la télé

1 What makes the French hospital truly democratic?
2 Which comments made by the author of these notes are critical of modern France?
3 How do we know that 'la Pitié-Salpêtrière' is a very large hospital?
4 Why are members of the staff of 'l'hôpital Lariboisière' reluctant to go down to the basement?
5 Why was duty in the casualty department less stressful in the old days?
6 How has security been strengthened at 'la Pitié-Salpêtrière'?
7 How has freedom of access to these hospitals created problems?
8 'Amour de l'argent et goût du pouvoir contre amour de la terre' (Le Figaro). Which of the four programmes discussed does this quote refer to?
9 For what reasons is conflict between Estelle Laborie and Pierre Séverin inevitable?

Extérieur, nuit . . .

1 Explain Navarro's attitude to the criminals he seeks to bring to justice.
2 How exactly does the property developer intend to profit from the activities of his hired thugs?
3 Why is the producer anxious to keep on good terms with the police?
4 How has Marcel spent much of his time since his retirement?
5 For what two reasons are barriers considered necessary?

6　Why does the second take of this particular scene have to be scrapped?

7　What hopes do the local residents entertain?

Chapitre 3

Requins et rémoras [1]

1　When do the pairs of pupils do this extra work?

2　What do the younger pupils think about the name given to them?

3　How would you describe the way in which the older pupils tackle the work?

4　What problems have the beginners been experiencing in their first term?

Requins et rémoras [2]

1　How do many of the older pupils feel that these contacts will help them with their own work?

2　What assistance are the teachers able to give?

3　How do some of the older pupils reveal their keen sense of responsibility?

4　What indications are there of a general improvement in attitudes and behaviour?

Chapitre 4

Médecin de campagne en banlieue [1]

1　Which details in the first paragraph reveal the young woman's uncertainty?

2　Give details of the location of the practice.

3　Why did Dr Ménard jump at the chance to work with Dr Paknadel?

4　What is unconventional about Dr Ménard's approach to his work?

Médecin de campagne en banlieue [2]

1　How does Dr Ménard know his patient is on the telephone line?

2　What would three taps mean?

3　What indication do we have that the storeman is in real pain?

4　The storeman and his daughter have an hour's wait. How does Dr Ménard spend most of this time.

5　What evidence do we have that Dr Ménard hides nothing from his patients?

6　Explain why Dr Ménard regards himself as a country doctor in an urban setting.

Chapitre 5

Sécurité routière A

1　Which European drivers, other than those who drive too fast or drink too much, are most likely to cause accidents?

2　Give the profile of the European driver least likely to have an accident.

Sécurité routière B

1 Which factors, other than poor driving, might well play a part in road accidents?
2 What positive advice is given to motorists?

Sécurité routière C

1 Why was the Saturday classed as 'red'?
2 Explain the advantage for French motorists of 1 August falling on a Thursday.

Chapitre 6

Tu ne seras pas pêcheur, mon fils!

1 Explain why Philippe finds choosing a career so difficult.
2 What are the hardships endured by fishermen of which his father reminds him?
3 What indications do we have that this was an unhappy time for the family?
4 Why did the son abandon the idea of fishing for a living?
5 Why did the son decide to take the entrance examination?
6 Why, for the younger generation of fishermen, is life becoming harder?
7 How long is the course Philippe will be taking at Nantes? Why, in his father's opinion, should he be happy there?

Il passe d'HEC à l'action humanitaire

1 What is there in Laurent's previous experience that *Action contre la faim* found particularly interesting?
2 What do we learn about Laurent's life and mood while he was unemployed?
3 Explain why he made the decision to apply to *Action contre la faim*.
4 How would you describe the mission that Laurent and his three colleagues undertook in Georgia? What had they been asked to do during the year they spent there?

Chapitre 7

Maternité symbole

1 What is the underlying significance of this struggle to save La Mûre's maternity home?
2 Why did the Ministry of Health decide to close it?
3 Explain how this decision was to have tragic consequences.
4 Give details of the strength of the support for the town's inhabitants in their protest.
5 How does the author of the article account for the authorities' u-turn?
6 What information does the text supply about La Mûre's location?

Le Parisien qui a sauvé la campagne

1 For what reasons is 'l'épicerie' so important to these small villages?
2 Why are these 'épiceries' having to close?
3 What did 'Le Parisien' realize he had to do in order to make his business profitable? What means did he adopt?
4 Why has he recently switched to a van?

Chapitre 8

'Étude d'un texte argumentalif: Le Sport'

1 What, in the author's opinion, is far more important than sport?
2 Why does he feel that a ministry of sport is not really necessary?
3 What kind of 'sportsmen' does the author have in mind here?
4 What point is the author making with his comparison of sports stadiums and hospitals?
5 Which particular aspect of modern sport troubles him most?
6 What is the author's attitude to sport? How does he convey it?

'Les Lycéens font du théatre: Le bac sur les planches'

1 How do we know that, as yet, the pupils have no real rehearsal facilities?
2 What outside help is sought by schools offering this subject?
3 What must those pupils do, who wish to make the stage their career?
4 What is Jean-Jacques' first task, as a rule, when introducing the subject to his pupils?
5 How, in a practical way, can pupils benefit from their stage experience? Give three examples.
6 Why will Jean-Jacques' job be a little easier next year?
7 What is Jean-Jacques' one regret?

Chapitre 9

'Arrivée à Dax'

1 How do we know that the train had been crowded?
2 Why did so many passengers wish to leave the train just before it pulled into the station at Dax?
3 For what purpose were the German police waiting there?
4 What advice did the priest give Joseph, and why?
5 Why did Joseph take out and start chewing what was left of his sandwich?
6 What does Maurice do that arouses his younger brother's admiration?
7 What does Joseph notice about the German policeman's French?
8 How does the priest create an atmosphere in which the German is likely to accept his explanation concerning the boys?
9 How does the priest justify himself when Maurice points out that he had been lying.

'Vichy espionne les Français'

1 What happened to some of those French forces after they had been demobilized?
2 From what kind of recordings did these civil servants make their transcripts of telephone conversations?
3 What kind of information acquired in this way would be useful (a) to the police and (b), at a later date, to the Germans?
4 How did Antoine Lefébure come across this material?
5 Why was there so much private correspondence at this time?

Chapitre 10

'Les athlètes de haut niveau nouveaux champions de la publicité'

1 Why do advertising agencies take such an interest in sporting celebrities?
2 How does Marilyn Gauthier earn her living? For what purpose is she signing up these sports stars?
3 What, according to David Le Breton, are their most attractive features? Why is this?
4 How can the advertising agencies benefit from this relationship?

Chapitre 11

Les Clandestins/Fièvre migratoire en Roumanie

1 How successful have the industrialized nations been in their efforts to halt illegal immigration?
2 Explain the sentence: 'C'est qu'elle est inscrite dans le déséquilibre de l'économie mondiale.'
3 Account for the presence of Marian in the arrival lounge of Bucarest Airport. Where has he come from?
4 Which details suggest that he is poor?
5 How does he plan to reach the West next time?
6 Give details of his previous visit to France.
7 What features do these young Romanians hoping to get to the West have in common?

Une Politique de dissuasion

1 What methods are the French now beginning to use more openly in their efforts to end illegal immigration?
2 In what way are the Romanian authorities co-operating?
3 What would the elimination of illegal immigration enable the French government to do for others?

4　What did the Romanian gypsies arriving at Lyons fail to do? Why?

5　Why will it be more difficult in future for Romanian citizens to be accepted as immigrants?

Chapitre 12

Cauchemar glacial à moins 950 mètres: Dans le gouffre Berger

1　What caused the death of the two potholers?

2　To what extent were the potholers themselves to blame for this tragedy?

3　How deep underground were the survivors when they were found?

4　With what sort of conditions did both rescuers and survivors have to contend?

5　Why were the rescuers hoping that the two less seriously injured potholers would, after resting, have reasonable mobility?

Les Sports à risques

1　Why are the authorities so concerned about the recent accidents?

2　What remedial measures are being considered?

3　How would the rescue services and taxpayers benefit?

4　What are local authorities in mountainous regions already entitled to do? Why is theirs a special case?

5　In what way have the rescue services had to adapt to new situations?

6　Give three examples of the thoughtlessness of some of the enthusiasts described in the article.

7　According to the rescuers, of what two things do the enthusiasts fail to take account when they set out?

8　What other criticism is levelled against them?

Chapitre 13

Maires ruraux

1　How, on formal occasions, is it easy to pick out the mayor of the commune?

2　Give two examples of his role on such occasions.

3　How has he been affected by decentralization?

4　Why would a legal training be useful in view of his present duties?

5　What advantage is enjoyed by the mayors of larger towns?

6　Explain, with examples, how the relationship between the mayor and his *administrés* has changed in recent years.

7　Explain how mayors have been affected by the legislation introduced in March 1994.

8　Give two reasons for their present sense of grievance.

Condamné sur ses biens propres

1 How did his colleagues in public office react when the mayor of Flavigny-sur-Moselle was fined?
2 To whom had the *préfet* given permission to build the sports centre?
3 What possible danger were the authorities aware of when the decision to build a sports centre was made?
4 Why, shortly after his election in 1989, was the mayor obliged to contact the *préfecture*?
5 What was the outcome of subsequent meetings?
6 For what two reasons did local anglers disagree with the claims made by the angling association?
7 What shows that the mayor is undeterred by recent events?

Chapitre 14

Racket au collège

1 How does Michel pay for the repair of the moped?
2 Why did the gang pick on Michel?
3 What effect do the threats and demands have on him?
4 How do some headteachers react when they become aware of such rackets? Why?
5 How did the third young criminal manage to escape from the police?
6 Why did most of the parents of children at the Parisian *lycée* refuse to complain formally to the police?

La Drogue en France

1 Give details of Frédéric's background.
2 Why was he sent to San Francisco for treatment?
3 Which of the robberies committed by Frédéric in America was most likely to affect the length of his sentence?
4 Why should Frédéric miss being in prison?
5 Why, when she was twenty, did Florence's prospects look so bright?
6 Why is her father still reproaching himself? What happened that might account for his feeling of guilt?
7 Which details make the mother's anguish clearly apparent?

Violence au cinéma, violence dans la rue

1 What sort of violence do certain films spark off in the streets?
2 To what lengths are scriptwriters prepared to go to ensure that their films will be suitably sensationalist?
3 Why are these film-makers so anxious, in their advertising, to give the impression that their forthcoming films have a noble purpose?
4 Why does the author of this article consider these films dangerous?
5 Who, in the author's opinion, is more to blame for them: the producers or the public? And why?

Glossary of grammatical terms

accord (m) agreement (of verb with subject, of adjective with (pro)noun, of past participle with subject or preceding direct object)

s'accorder to agree: *le verbe s'accorde avec son sujet*

adjectif démonstratif demonstrative adjective: *ce, cet, cette, ces* (this, that, these, those)

adjectif interrogatif interrogative adjective: *quel(s), quelle(s)* (what, which ... ?)

adjectif possessif possessive adjective: *mon, ma, mes; leur, leurs*, etc.

article (m) **défini** definite article: *le, la, les*

article indéfini indefinite article: *un, une (des)*

article partitif partitive article: *du, de la, de l', des, de, d'*

auxiliaire (m) auxiliary verb. The two auxiliaries, 'avoir' and 'être', are used in a variety of tenses along with a past participle to form compound tenses: *j'ai reçu; il était parti; ils auraient refusé*, etc.

comparatif (m) comparative (a) of adjectives: *plus grand (que); moins doué (que); meilleur (que)* and (b) of adverbs: *mieux (que); plus tard (que)*

concordance (f) **des temps** sequence of tenses. In a complex sentence the tense of the verb in the main clause usually determines that of the verb in the subordinate clause

conditionnel (m) conditional tense (... should/would ...): *je ferais; nous aurions; ils finiraient*

conditionnel passé conditional perfect (... should/would have ...): *j'aurais joué; elle serait tombée; ils se seraient reposés*

conjonction (f) conjunction (word connecting sentences, clauses or words): *et, ou, car, quoique, lorsque*, etc. See also **locution conjonctive**

conjuguer to conjugate (to write, with suitable endings, any tense of a verb)

discours direct direct speech (what is/was actually said, set in inverted commas or their equivalent): *Il a répondu: 'Nous verrons'; – Ça dépend, répondit-elle*

discours indirect indirect, reported speech (speaker's words are reported with suitable changes to person and tense). Compare: *Il a dit: 'J'espère rendre visite à mon oncle demain.'* with *Il a dit qu'il espérait rendre visite à son oncle le lendemain*

expression (f) phrase, group of words

futur (m) future tense (... shall/will ...)

futur antérieur future perfect (... shall/will have ...)

imparfait (m) imperfect tense (... was/were ... ing, used to, etc.)

impératif (m) imperative (forms of verb expressing command, request): *attendez-moi!; tais-toi!; achetons du vin blanc!*

impératif négatif negative imperative: *n'ayez pas peur!*

indicatif (m) indicative (the 'normal' form of a verb. Compare with subjunctive, used to give the idea of doubt/uncertainty)

infinitif (m) infinitive (nominal form of the verb, usually preceded by 'to'): *aller* to go; *battre* to beat, etc.

infinitif passé perfect infinitive ('avoir' or 'être' followed by the past participle of the verb): *après **avoir trouvé**; elle regrettait d'**être venue**,* etc.

interrogatif interrogative, referring to a question

interrogation directe direct question: *'Qui est arrivé?'*

interrogation indirecte indirect question: *Il voulait savoir qui était arrivé*

intransitif see **verbe intransitif**

locution (f) phrase with a particular grammatical function

locution adverbiale adverbial phrase: en vain; dans un proche avenir; sans bruit

locution conjonctive conjunctive phrase (any conjunction of two or more words): *parce que; à moin que,* etc.

locution prépositive prepositional phrase: *jusqu'à; au cours de; grâce à*

objet (usually, **complément d'objet**) object (of verb)

objet direct direct object (of verb): *il a remarqué **mon nom*** (direct object)

objet indirect indirect object (of verb), preceded by a preposition, especially 'à': *il demanda l'heure* (direct object) **à un passant** (indirect object); *il jouit **de plusieurs avantages*** (indirect object)

participe passé past participle (of verb): *il a **fini**; après avoir **lu** . . .; elle a été **tuée***

participe présent present participle (of verb): *en **retournant** de Paris . . .; n'**ayant** rien à lire*

passé composé perfect tense

passé simple past historic

passif (m), **la voix passive** passive voice (in which the subject of the sentence suffers the action. As in English, 'to be', in the appropriate tense, is followed by the past participle (used adjectivally): *elle **sera accompagnée** de ses parents; nous espérons **être invité(e)s***

phrase (f) sentence

plus-que-parfait (m) pluperfect tense (. . . had/had been . . .): *j'avais travaillé; il était venu*

préposition (f) preposition: *à, de, avant, avec,* etc.

pronom (m) pronoun

pronom adverbial adverbial pronoun: *y* (there, in it, on it, etc.), *en* (from there, because of it, etc.)

pronom démonstratif demonstrative pronoun: *celui, celle, ceux, celles* (See pp 110–11)

pronom interrogatif interrogative pronoun: *qui?, quoi?, que?, lequel?,* etc.

pronom personnel personal pronoun. Subject: *je, tu, il, nous,* etc.; direct object: *me, te, le, la, les, nous, vous;* indirect object: *me, te, nous, lui, leur*

pronom personnel tonique emphatic/disjunctive pronoun: *moi, toi, lui, nous, eux, soi,* etc.

pronom possessif possessive pronoun: *le mien, la mienne, les miens, les miennes,* etc.

pronom réfléchi reflexive pronoun: *me, te, se, nous, vous*

pronom relatif relative pronoun (which introduces a relative clause): *qui, que, dont, avec lequel,* etc.

proposition clause (part of a sentence containing subject and predicate. The predicate is the verb and the rest of the clause)

proposition conditionnelle 'If'/conditional clause

proposition participiale participial phrase (used to qualify by means of a present or past participle the subject or object of a main clause. It expresses, in fewer words, what would otherwise be a whole clause): *Le ministre, **entouré de ses gardes**, s'approchait de l'estrade. '... qui était entouré de ses gardes ...'* is not as concise. (See pp 57–8 and p 49)

proposition principale main clause (which is complete in itself and which, in the absence of other clauses, constitutes the sentence). The main clause is in bold type in the following two examples: *Quand le maire est arrivé, **il y avait une foule devant la mairie**; La petite Laure, qui ne faisait pas attention, **est tombée à l'eau***

proposition relative relative clause (provides information about a particular person or thing which directly precedes the clause and is called the antecedent): *l'homme **qui chantait** ...; le pull **que je venais d'acheter** ...; l'incident **dont tout le monde parlait** ...*

proposition subordonnée subordinate clause an incomplete part of a sentence): *Comme il pleuvait ...; ... dès qu'il rentrera*

radical (m) stem (of verb): *'chant' est le radical du verbe 'chanter'*

subjonctif (m) subjunctive. The present and the perfect subjunctive are the tenses mainly used in a non-literary context, and they occur in subordinate clauses conveying the idea of doubts, feelings or purpose, obligation. (See pp 96–7 and pp 135–7)

substantif (m) noun (also: *nom*)

superlatif (m) superlative (of adjectives or adverbs): *la **plus belle** peinture*; la matière *la plus/moins intéressante; elle dessine **le mieux**; c'est elle qui travaille **le plus dur***

synonyme de synonymous with (having the same meaning as)

temps (m) tense

temps composé compound tense ('avoir' or 'être' + past participle)

terminaison (f) ending (of verb, etc.)

transitif see **verbe transitif**

verbe factitif factitive verb ('faire' + infinitive = 'to have/get something done' or 'to get someone to do something'): *je me **ferai couper** les cheveux demain; il a **fait venir** le médecin.* (See pp 180–1)

verbe impersonnel impersonal verb (with the subject *'il'*): *il pleuvait; **il a fallu**; il y aura.* (See pp 120–1)

verbe intransitif intransitive verb (cannot take an object, direct or indirect): *marcher, rester, rire*

verbe pronominal reflexive verb: *je **m'y intéresse**; il s'est mis à rire; **nous nous écrivons** rarement*

verbe transitif transitive verb (verb taking a direct or indirect object (and conjugated with 'avoir' in compound tenses)). See **objet direct**

Acknowledgements

The publishers would like to thank the following for permission to reproduce material in this book:

pp 1, 3–4: *La clé sur la* porte, Marie Cardinal, Éditions Bernard Grasset; p 13: 'Documentaire: mardi ...', *Le Nouvel Observateur*, 3–9/11/94; p 14: 'Vous vous souvenez ...', © *Libération*, 30/9/93; pp 14–15: 'Feuilleton français ...', © *Le Figaro* 9632020, 10/6/96; pp 17–18: 'Extérieur nuit', A. Woodrow, *Le Monde*, 13–14/8/89; pp 29–30, 31–2: 'Requins et rémoras', C. Garin, *Le Monde de l'éducation*, mai 1986; pp 41–2, 43–4: 'Médecin de campagne en banlieue', N. Herzburg, *Le Monde*, 19/1/96; pp 51–2: ' On a volé la Serpollette', T. Berthemet, © *Le Figaro* 9632020, 11/7/95; pp 53–4: 'Sécurité routière', A&C, J-M. Normand, *Le Monde*, 28/7/96; B: Valeurs Actuelles, 1/3/70; pp 56–7: 'La France au volant', *Les carnets de Major Thompson*, Pierre Daninos, © Hachette Littératures; pp 65–6: 'Tu ne seras pas pêcher mon fils', A. Cojean, *Le Monde*, 20/7/96; pp 68–9: 'Il passe d'HEC à l'action humanitaire', G. de Montalembert, © *Le Figaro Magazine* 9632020, 8/6/96; p 71: 'Patrick et Christiane', G. de Montalembert, © *Le Figaro Magazine* 9632020, 8/6/96; pp 78–9: 'Maternité symbole', E. Merlen, L'Événement, 8–14/6/95; pp 79–80: 'Le Parisien qui a sauvé la campagne', B. Salses, L'Événement, 8–14/6/95; 'Rochefourchat village fantôme', P-L. Berger, L'Événement, 8–14/6/95; p 90: 'Le Nouvel oral', *Le Monde de l'éducation*, pp 90–1: 'Alexandre: "bombardé de questions!"', M. Bobasch, *Le Monde de l'éducation*, septembre 1996; pp 92–3: 'Étude d'un texte argumentatif' from *Terrasses de l'Ile* d'Elbe, Jean Giono, © Éditions Gallimard; pp 94–5: 'Le bac sur les planches', B. Mathieu, *Le Monde*, 13/8/96; pp 102–4, 109: *Un sac de billes*, Joseph Joffo, © Éditions Jean-Claude Lattès, 1973; pp 105–6: 'Vichy espionne les Français', A. Levy-Willard, © *Libération*, 30/9/93; pp 114–15 'Feriez-vous un bon publicitaire?', T. de Keguelin, © *Le Figaro* 9632020, 8–9/8/97; pp 116–17: 'Les athlètes de haut niveau ...', P. Krémer, 30/1/96; pp 119–20: 'Caddies à domicile', T. Richard, 28/1/87; p 127: 'Les Clandestins', R. Priouret, 19–25/12/86; pp 127–8: 'Fièvre migratoire en Roumanie', C. Chatelot, *Le Monde*, 30/8/95; pp 130–1: 'Une Politique de dissuasion', P. Bernard, *Le Monde*, 12/7/95; pp 141–2: 'Cauchemar glacial ...', S. Thomas, *France-Soir*, 12/9/96; pp 144–6: 'Les Sports à risques', P. Krémer, *Le Monde*, 26/8/95; pp 155–6: 'Maires ruraux', G. de Montalembert, © *Le Figaro Magazine* 9632020, 10/6/95; pp 159–60: 'Condamné sur ses biens propres', G. de Montalembert, © *Le Figaro Magazine* 9632020, 10/6/95; pp 169–71: 'Racket à l'école', L. Paton, *Le Monde de l'éducation*, septembre 1989; pp 172–3: 'Les Victimes', M. Dagouat with E. Leroy, L'Express, 7/10/93; pp 174–5: 'Violence au cinéma ...', Flora Lewis, L'Express, 10/5/91; p 176: 'Violence et télévision', M. Dagnaud, *Le Monde*, 23/2/96.

The publishers would like to thank the following for permission to reproduce photographs in this book:

p 29: Robert Harding Picture Library, © F. Jack Jackson; p 66: Andrew Ward, Life File; p 104: Topham; p 141: Robert Harding/Explorer; p 157: © Owen Franken.

Every effort has been made to trace and acknowledge ownership of copyright. The publishers will be glad to make suitable arrangements with any copyright holders whom it has not been possible to contact.